La Colección
MARAVILLOSA™

EL PENTATEUCO

SET 1

LA COLECCIÓN
MARAVILLOSA™

EL PENTATEUCO

GÉNESIS, ÉXODO, LEVÍTICO,

NÚMEROS, DEUTERONOMIO

SET 1

BIG
DREAM
MINISTRIES

Ninguna parte de *La Colección Maravillosa,* sea audio, video o escrito, puede ser reproducida en cualquier forma sin el permiso escrito de Big Dream Ministries, Inc., PO Box 324, 12460, Crabapple Road, Suite 202, Alpharetta, Georgia 30004.

1-678-366-3460

www.theamazingcollection.org

ISBN-13: 978-1-932199-22-2
ISBN-10: 1-932199-22-5

El diseño de la portada por Brand Navigation y Arvid Wallen

La imagen compuesta de la portada: por Getty Images y Corbis y convertida al español por Melissa Swanson
El equipo creativo: Leigh McLeroy, Kathy Mosier, Pat Reinheimer, Glynese Northam

Traducido por: Maryselle Damaris Cardona Money, Damaris I. McClure, Sheri McGough Snow, Lucila Ramírez Ohlen, María Eugenia Vanegas Villa

Esta traducción fue elaborada por un equipo de mujeres cristianas que representan a cinco países de habla hispana. Cada una de ellas estudió este curso bíblico en inglés y sintió el deseo de traducirlo al español, para ponerlo al alcance de personas de habla hispana; y con el objetivo de mejorar la comprensión de la Biblia y conocer más del Dios tan grande y maravilloso que es nuestro creador.

Algunos de los ejemplos anecdóticos en este libro son fieles a la realidad y se incluyen con el permiso de las personas involucradas. Todas las otras ilustraciones son compuestas de situaciones reales y cualquier parecido con personas vivas o muertas es pura coincidencia.

Al menos que de manera distinta se identifique, todas las citas bíblicas en esta publicación proceden de La Santa Biblia Nueva Versión Internacional (NVI), 1999 por la Sociedad Bíblica Internacional.

Impreso en los Estados Unidos de América

1 2 3 4 5 6 / 17 16 15 14 13

Bienvenido (a)
La Colección Maravillosa
La Biblia Libro por Libro

Es asombroso como una carta de amor que llega en el momento justo puede alegrar el corazón, refrescar el alma y devolver la pasión por el ser amado. Cuando los enamorados están separados por la distancia, y pueden comunicarse solamente a través de palabras escritas, estas palabras se vuelven el sustento de su relación amorosa.

La carta de amor más grande jamás escrita, a menudo está guardada, sin abrir y bajo llave en nuestros cofres, mientras tanto nosotros vamos recorriendo nuestras vidas estando a veces temerosos, oprimidos, inquietos, con penas, incertidumbres y desconociendo que en esas páginas, podemos encontrar todo lo que necesitamos para vivir la vida que siempre estamos deseando.

En esta carta de amor descubriremos a Dios y a través de Él recibiremos esperanza, seguridad, libertad del temor, consejos para nuestra vida cotidiana, sabiduría, gozo, paz, poder y sobre todo, el camino para la salvación. Encontraremos la vida que siempre hemos añorado, la vida *abundante*.

La Biblia es sencillamente una carta de amor recopilada en sesenta y seis libros, escrita por más de cuarenta autores, que vivieron en tres continentes diferentes y realizada durante un período de mil seiscientos años y aunque los autores procedían de diferentes culturas hay un sólo mensaje, un tema, un hilo que corre a través de ésta, desde el primer libro: Génesis; hasta el último: Apocalipsis, este mensaje es: Por amor Dios redime a la humanidad, un mensaje que para nosotros es importante hoy, al igual que lo fue hace dos mil años.

Dios inspiró la Escritura de la Biblia, así los hombres y mujeres podrían entrar en una íntima relación con Él y ver Su: carácter, obras, poder y amor. Sería trágico leer los libros y nunca llegar a conocer a Dios. Le sugerimos que vaya a través de este estudio, escuchando las lecturas, leyendo las Escrituras y haciendo la tarea diariamente en casa, realizándolo con todo su corazón y deseando conocer íntimamente a Dios. Lea cada página de la Biblia, como si esto fuera una carta de amor escrita personalmente por la mano de Dios. Deléitese en Su gran amor, manténgase en asombro de Su magnífico poder, inclínese delante de Su majestad y de las gracias y la adoración para Quien es toda: presencia, conocimiento, misericordia y amor. Él está en cada página y Le está hablando a usted.

La Biblia es un libro inspirado por Dios Mismo. Esta es Su: historia, Su carta de amor y Su invitación para comenzar una relación paternal con Él, a través de Su hijo, Jesucristo. Ésta es la palabra de Dios... En verdad, la más Maravillosa Colección.

CONTENIDO

LEVÍTICO

NÚMEROS

Deuteronomio

TABLAS DE MAPAS, RUTAS Y DIAGRAMAS

GUÍA PARA EL LIBRO DE TRABAJO

La Colección Maravillosa es un estudio de la Biblia, libro por libro. Esta parte del estudio se centrará en los cinco primeros libros de la Biblia conocidos como El Pentateuco. Lo siguiente lo familiarizará con el diseño de esta serie.

Cada libro de la Biblia deberá estudiarse semanalmente a través de un video educativo y un estudio escrito, el video educativo incluye música para motivar el corazón, gráficas para permitir una visualización mental y un testimonio personal para lograr que el tema de este libro específico sea para la vida.

El libro de trabajo contiene:

1. Una introducción que resume cada libro.

2. "Aprendiendo para La Vida" son preguntas que se discutirán y pueden ser usadas después de observar los videos. (Si los grupos son numerosos, se recomienda formar grupos pequeños para discusión.)

3. Hay cinco lecciones diarias de tarea por cada libro.

4. Un versículo para memorizar por cada libro.

5. Varios mapas, gráficos y diagramas.

6. Un repaso al final de cada semana para refrescar su memoria. Las respuestas, para la revisión del día uno al cuatro serán encontradas en la sección *¡Repase Esto!*, ubicada en el margen al final de la lección diaria y el versículo para memorizar será la revisión del día cinco.

Cada día antes de iniciar la tarea, pídale a Dios que le muestre como aplicar la verdad contenida en las Escrituras, en su propia vida. Al comienzo de cada lección diaria, en el libro de trabajo, hay dos opciones de lectura: una es la *Lectura Completa*, que lo capacitará para leer un libro entero de la Biblia cada semana y si usted no tiene el tiempo suficiente, la segunda opción será la *Lectura Rápida*, que le permitirá leer unos capítulos o versículos claves de este libro. Para completar las lecciones diarias, requerirá un tiempo adicional, el cual podrá extender libremente.

Una de las cosas increíbles acerca de la palabra de Dios, es que usted puede leer la misma Escritura en diferentes situaciones durante su vida y obtener nuevas reflexiones con cada lectura. La palabra de Dios es inagotable, esto quiere decir viva; ella tiene el poder de producir como resultado cambios de vida.

Oramos para que al comenzar su viaje a través de *La Colección Maravillosa* aprenda para la vida: el propósito, los protagonistas principales, la ubicación geográfica y el período de tiempo que contiene cada libro de la Biblia, pero sobre todo, para que usted comience a conocer más íntimamente el Dios de la Biblia, su hijo Jesucristo y el Espíritu Santo.

Un Vistazo al Pentateuco

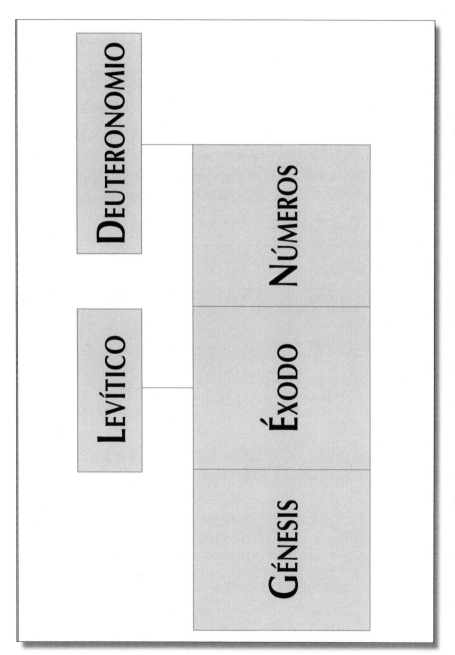

Para ver cómo estos libros encajan entre la cronología total del Antiguo Testamento, vea el mapa de la página 157.

Resumen General del PENTATEUCO

Las siguientes páginas proveen una visión general de los libros que deberá estudiar en este grupo, las cuales están diseñadas para ser cortadas y usadas como fichas de referencia rápida, adelante encontrará los hechos principales del libro y atrás el versículo para memorizar.

Puede encontrar de utilidad laminarlas y llevarlas con usted en un aro ó guardarlas en un tarjetero y mantenerlas en un lugar donde pueda utilizarlas frecuentemente como referencia.

Esperamos que esto pueda ser una herramienta de ayuda para que usted verdaderamente aprenda estos libros de por vida.

GÉNESIS
El Libro de los Orígenes

QUIÉN:	**QUÉ:**	**DÓNDE:**
Adán	La Creación de la Tierra	El Jardín del Edén
Noé	El Pecado del Hombre	Ur
Abraham	El Diluvio en la Tierra	Canaán
Isaac	La Concepción de Israel	Egipto
Jacob		
José		

Tiempo Abarcado: 2,200 años

ÉXODO
El Libro de la Liberación

QUIÉN:	**QUÉ:**	**DÓNDE:**
Moisés	Las 10 Plagas	Egipto
	El Nacimiento de Israel	El Monte Sinaí
	El Mar Rojo	
	Los 10 Mandamientos	
	El Tabernáculo	

Tiempo Abarcado: 400 años

LEVÍTICO
El Libro de la Santidad

QUIÉN:	**QUÉ:**	**DÓNDE:**
Moisés	Israel Recibió Instrucciones Religiosas	El Monte Sinaí
Aarón		

Tiempo Abarcado: 1 mes

GÉNESIS
El Libro de los Orígenes

Estableceré mi pacto contigo y con tu descendencia,
como pacto perpetuo, por todas las generaciones.

GÉNESIS 17:7

ÉXODO
El Libro de la Liberación

Yo soy el SEÑOR tu Dios. Yo te saqué
de Egipto, del país donde eras esclavo.

ÉXODO 20:2

LEVÍTICO
El Libro de la Santidad

Sean, pues, santos, porque yo soy santo.

LEVÍTICO 11:45

NÚMEROS
El Libro de la Incredulidad

QUIÉN	**QUÉ**	**DÓNDE**
Josué	Los 2 Censos	El Monte Sinaí
Caleb	Los 12 Espías	El Desierto
	La Rebelión de Israel Contra Dios	Cades Barnea
	La Peregrinación por 40 años	La Llanura de Moab

Tiempo Abarcado: 40 años

DEUTERONOMIO
El Libro de la Obediencia

QUIÉN	**QUÉ**	**DÓNDE**
Moisés	Israel Preparado Para Entrar en la Tierra	La Llanura de Moab
	La Repetición de Instrucciones Religiosas	

Tiempo Abarcado: 1 mes

NÚMEROS
El Libro de la Incredulidad

Que aunque vieron mi gloria y las maravillas . . .
ninguno de los que me desobedecieron . . . verá jamás la tierra que,
bajo juramento, prometí dar a sus padres.

NÚMEROS 14: 22-23

DEUTERONOMIO
El Libro de la Obediencia

De que te he dado a elegir entre la vida y la muerte,
entre la bendición y la maldición.
Elige, pues, la vida, para que vivan tú y tus descendientes.

DEUTERONOMIO 30:19

Introducción al PENTATEUCO

Esta puede ser quizás, la primera vez que usted está conociendo la palabra Pentateuco y posiblemente se sentirá atrasado en el estudio. Bien, ¡Tome valor! Esta gran palabra es derivada de dos palabras griegas que tienen un significado simple: donde Penta significa cinco y Teuco significa "pergamino" o "libro", uniéndola esta significa "cinco libros".

El Pentateuco fue probablemente escrito por un hombre: Moisés, y está compuesto por los libros de: Génesis, Éxodo, Levítico, Números y Deuteronomio. Es conocido también como la Ley, la Toráh (en Hebreo "ley") y la ley de Moisés. Estos son los primeros cinco, de los diecisiete libros históricos del Antiguo Testamento y son fundamentales para entender el resto de la Biblia. Un libro fluye fácilmente a otro, desarrollando la historia bíblica, desde la creación hasta cerca del año 1500 a.C.; y la historia de Israel, desde la llamada de Abraham hasta la muerte de Moisés. Aquí conocerá a: Adán, Noé, Abraham, Isaac, Jacob y sus doce hijos, Moisés, Aarón y Josué. Recorrerá desde el Jardín del Edén hacia: Ur, Jarán, Canaán y Egipto, a través del Mar Rojo hasta llegar al Monte Sinaí.

Pero el centro en cada libro del Pentateuco es acerca de un Dios Todopoderoso. Su aventura con Él comenzará en la primera frase del primer libro y a partir de allí será un recorrido fantástico, en el que aprenderá como Él ha intervenido en favor de hombres y mujeres, a través de toda su historia, usted será testigo de Su poder extraordinario en Génesis, Su deseo de dar a sus hijos la libertad en Éxodo, Su perfecta santidad en Levítico, Su justicia en Números y Su fidelidad en Deuteronomio. Usted se humillará ante Su misericordia, se impresionará de Su compasión, temerá ante Su ira y buscará el apoyo de Su bondadoso amor. En cada libro comenzará a ver que Jesucristo está oculto y listo para ser revelado en el Nuevo Testamento.

Por lo tanto, ¡Prepárese! Cuando abra La Colección Maravillosa de Dios, usted se encontrará con un estudio fascinante de la Biblia, que comenzaremos con sus cinco primeros libros: El Pentateuco.

GÉNESIS

[El Libro de los Orígenes]

Estableceré mi pacto contigo y con tu descendencia,

como pacto perpetuo, por todas las generaciones.

GÉNESIS 17:7

GÉNESIS
[El Libro de los Orígenes]

INTRODUCCIÓN

Seguro que usted se habrá preguntado algún día: ¿Y cómo comenzó todo? Génesis, el primer libro de la Biblia, responderá esta pregunta de una manera sorprendente. Todo comienza con el Creador, quien tuvo tal poder, que solamente con hablar, el cielo y la tierra aparecieron. Era un buen plan, toda la creación estaba diseñada para vivir en perfecta armonía, libre de: la muerte, la enfermedad, la violencia y el miedo.

Sin embargo, el primer hombre y mujer decidieron desobedecer a su único creador, aquel que les dio el mundo entero, excepto por la fruta de un simple árbol. Con este primer acto de desobediencia, el pecado entró al mundo y la existencia se convirtió en una constante batalla, en la que tanto los hombres como las mujeres continuarán sufriendo las consecuencias.

No obstante, Dios con su gran bondad, desarrolló una estrategia para que sus hijos volvieran a triunfar. Él escogió un hombre (Abraham), para comenzar una nación (Israel) que pudiera ser un ejemplo para todas las naciones, de un pueblo que vivía la existencia en armonía con Dios. En el libro de Génesis, encontrará unos pocos hombres y mujeres que vivieron durante los primeros dos milenios, leerá acerca de: sus luchas, retos, angustias, alegrías y por encima de todo, estará conociendo de la majestuosidad de Dios, su Creador.

GÉNESIS
[El Libro de los Orígenes]

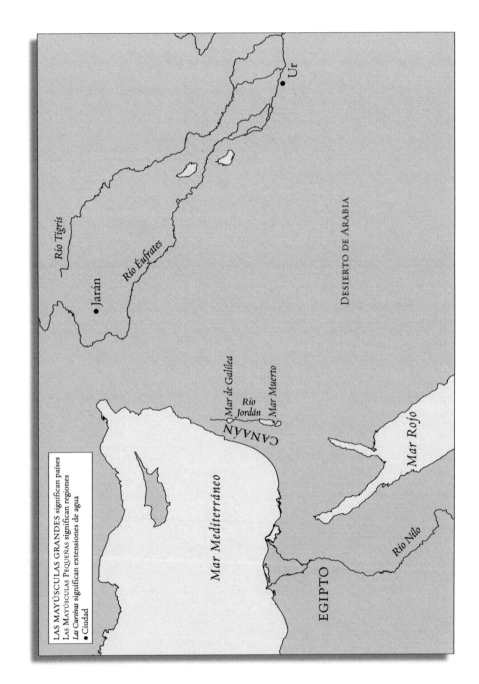

LAS MAYÚSCULAS GRANDES significan países
LAS MAYÚSCULAS PEQUEÑAS significan regiones
Las Cursivas significan extensiones de agua
• Ciudad

• Ur

DESIERTO DE ARABIA

Río Tigris

Río Éufrates

• Jarán

Mar de Galilea

Río Jordán

Mar Muerto

CANAÁN

Mar Rojo

Mar Mediterráneo

Río Nilo

EGIPTO

GÉNESIS
[El Libro de los Orígenes]

RESUMEN

¿QUIÉN? Autor: Moisés
Personajes Principales: Adán, Noé, Abraham, Isaac, Jacob, José

¿QUÉ? El libro de los orígenes

¿CUÁNDO? Abraham nació aproximadamente en el año 2100 a.C.

¿DÓNDE? El jardín del Edén, Ur, Canaán, Egipto

¿POR QUÉ? Este fue el comienzo de la maldad del corazón humano y de la nación que Dios estableció como una solución

I. EL ORIGEN DE LA RAZA HUMANA (GÉNESIS 1-11)

A. La CREACIÓN fue el comienzo del universo y del hombre (Génesis 1–2). Adán y Eva fueron el primer hombre y la primera mujer. Dios les proveyó un jardín, para que vivieran en armonía perfecta: con la naturaleza, uno con el otro y con Él.

B. La CAÍDA (pecado) fue el comienzo de la separación de Dios y la muerte física (Génesis 3). Eva fue tentada por Satanás, comió del único fruto que estaba prohibido y luego dio de éste a Adán y juntos se rebelaron contra Dios.

C. El resultado de la violencia en la tierra fue EL DILUVIO que trajo el juicio de Dios (Génesis 6-10). Noé fue un hombre recto, quien era agradable a los ojos de Dios. Dios le dio instrucciones para construir un arca en la cual él y su familia estarían a salvo una vez que el diluvio llegara.

D. El comienzo de los lenguajes en la Torre de Babel, fue el principio de las NACIONES (Génesis 11). Dios confundió sus lenguajes, cuando ellos trataron de construir un monumento a su propia grandeza.

II. El Origen de la Raza Elegida (Génesis 12-50)

Dios escogió un hombre para que fuera el padre de una nación (Israel) que Le amaría y Le adoraría a Él y sería un ejemplo y una bendición para todas las naciones del mundo.

A. Dios hace un PACTO con promesas para Abraham (Génesis 12).

    1. La familia de Abraham se convertiría en una gran NACIÓN.

    2. Todas las familias de la tierra serían bendecidas por sus DESCENDIENTES.

    3. Sus descendientes recibirían una TIERRA.

B. El pueblo escogido por Dios: Los patriarcas de Israel (Génesis 21-26)

    1. El hijo de Abraham fue ISAAC (Génesis 21-26).

    2. Los dos hijos de Isaac fueron JACOB y Esaú (Génesis 27-36). Jacob fue el hijo escogido por Dios para continuar con las bendiciones del pacto.

    3. Jacob tuvo DOCE hijos, quienes se convirtieron en las doce tribus de Israel (Génesis 30-35).

    4. El hijo favorito de Jacob fue JOSÉ (Génesis 37-50). Los hijos de Jacob sintieron celos de su hermano José y lo vendieron como esclavo. José fue elevado con el tiempo a ser segundo en mando de Egipto, porque Dios estaba con él.

José salvó a setenta personas de la familia de Jacob, de la hambruna que estaban padeciendo en Canaán y los invitó para que vivieran con él en la tierra de Egipto. Al final de Génesis, Jacob y José habían muerto y las demás personas vivían en Egipto en la región de Gosén, con prosperidad y paz.

APLICACIÓN

Dios nos ha creado a cada uno de sus hijos para un único propósito, por eso somos valiosos ante Sus ojos. ¿Con qué propósito fue usted creado?

GÉNESIS
[El Libro de los Orígenes]

APRENDIENDO PARA LA VIDA

1. Repasar el relato de Génesis (esfuerzo de grupo).

2. ¿Cuáles son algunos de los hechos maravillosos que hoy aprendió acerca de la Biblia?

3. Mientras mira alrededor suyo, ¿Cómo puede ver que la caída ocurrida al principio en Génesis, ha afectado a la humanidad? Indique tantos ejemplos como pueda.

4. ¿Describa algunas formas de disfuncionalidad qué encuentra entre los miembros de la familia de Abraham? y ¿Cómo ellos son usados por Dios a pesar de sus problemas y debilidades?

5. ¿De qué manera estaba Jesús relacionado con la creación del mundo? (Vea Juan 1:1–3; Colosenses 1:13-17).

6. ¿Con qué propósito fue usted creado? y ¿Cómo puede prepararse para servir a Dios a su alrededor con sus: dones, talentos y circunstancias?

GÉNESIS
[El Libro de los Orígenes]

¡INTERESANTE!
Génesis introduce
actividades que
nosotros hoy en día
estamos realizando,
tales como la caza y
el tocar instrumentos
musicales.

DÍA UNO

LECTURA COMPLETA: Capítulos 1-2
LECTURA RÁPIDA: Capítulos 1-2

LA ILUSTRACIÓN PRINCIPAL

Imagínese abriendo su Biblia y leyendo Éxodo 1: 1 "estos son los nombres de los hijos de Israel que acompañados de sus familias, llegaron con Jacob a Egipto", como si para usted estas fueran las primeras palabras de Dios.

Tal vez se sentiría como si hubiera entrado en un mar turbulento y desconocido. ¿Quién es Jacob? , ¿Por qué la historia comienza en Egipto?, ¿Quiénes son los hijos de Israel y de dónde venían? ¡Y esto es sólo en el libro de Éxodo!

Sin el libro de Génesis usted recorrería las Escrituras sin rumbo, de un lado a otro, sin saber de dónde viene ó hacia dónde está yendo. Génesis es la brújula que lo dirige a la dirección correcta y le mantiene el curso por el resto de su viaje.

Basado en su conocimiento actual del libro de Génesis, tome un momento breve y apunte ¿Qué datos no sabría usted, si la Biblia completa omitiera Génesis y sólo empezara con el libro de Éxodo?

El mismo Espíritu Santo que guió a estos hombres a escribir la Biblia, anhela darnos hoy el entendimiento para que podamos comprenderla.

—GEORGE SWEETING, autor, primer presidente y canciller de Moody Bible Institute

Génesis no solamente es el primer libro de la Biblia y del Antiguo Testamento, sino también el primer libro del Pentateuco, que es el primero de los cinco libros fundamentales (Génesis hasta Deuteronomio). El Pentateuco comienza con la Creación (Génesis 1-2) y termina con el pueblo de Israel, preparando su entrada a la tierra que Dios les había prometido (Deuteronomio 34).

Los siguientes cuadros muestran al Pentateuco en relación con las otras secciones del Antiguo Testamento.

HISTÓRICOS		POÉTICOS	PROFÉTICOS	
PENTATEUCO Génesis Éxodo Levítico Números Deuteronomio		Job Salmos Proverbios Eclesiastés Cantares	**MAYORES** Isaías Jeremías Lamentaciones Ezequiel Daniel	
DEL REINO Josué Jueces Rut 1 Samuel 2 Samuel 1 Reyes 2 Reyes	**POST-EXILIO** 1 Crónicas 2 Crónicas Esdras Nehemías Ester		**MENORES ANTERIORES** Oseas Joel Amós Abdías Jonás Miqueas	**MENORES POSTERIORES** Nahúm Habacuc Sofonías Hageo Zacarías Malaquías

El nombre *Génesis* significa "principio" y viene del primer versículo: "Dios en el principio, creó los cielos y la tierra". Moisés es el autor de Génesis, así como del resto del Pentateuco. Como los eventos en el Pentateuco ocurrieron siglos antes de que Moisés viviera, él indudablemente confió en los escritos registrados y en las tradiciones orales que eran pasadas de generación a generación (y lo más importante, basado en las revelaciones de Dios). El Espíritu Santo supervisó esta tarea monumental (ver 2 Pedro 1:21; 2 Timoteo 3:16).

Moisés probablemente escribió Génesis entre los años 1440 y 1400 a.C. cuando lideró a los israelitas en su tortuoso viaje, desde Egipto a través del desierto, a la tierra prometida de Canaán. Moisés escribió la historia de Génesis para animar y recordar a los peregrinos y desesperados israelitas de que, Dios

¿SABÍA USTED?
Los muchas veces nombrados padres de la nación Hebrea: Abraham, Isaac, Jacob son nombrados juntos por primera vez en Génesis 50:24.

había sido siempre fiel a sus antepasados: Abraham, Isaac y Jacob y que también les sería fiel a ellos.

Dos secciones naturales del libro de Génesis son mostradas en las gráficas siguientes:

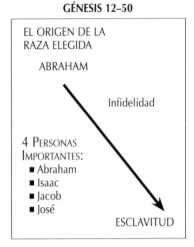

GÉNESIS 1–11

EL ORIGEN DE LA RAZA HUMANA

CREACIÓN

Desobediencia

4 EVENTOS IMPORTANTES:
- La Creación
- La Caída
- El Diluvio
- La Propagación de las Naciones

BABEL

GÉNESIS 12–50

EL ORIGEN DE LA RAZA ELEGIDA

ABRAHAM

Infidelidad

4 PERSONAS IMPORTANTES:
- Abraham
- Isaac
- Jacob
- José

ESCLAVITUD

En los próximos cuatro días eventos extremadamente significativos tomarán lugar en cada una de estas secciones y usted verá cómo aún hoy nosotros vivimos, con las consecuencias negativas y las bendiciones positivas de estos. El libro de Génesis no es solamente el primero, sino que es también fundamental y determinante al establecer el comienzo de las bendiciones para todas las familias de la tierra.

En la Lectura Rápida de hoy (capítulos 1 y 2) leerá acerca de la creación, el capítulo 1 presenta una descripción cronológica y estructurada de cada día de la Creación, en contraste con el capítulo 2 que presenta una descripción interesante y relajada de la creación del hombre y la mujer.

¿Qué le ha impresionado más acerca de Dios en estos dos capítulos?

¡No hay nada más insensato, que pensar que toda esta estructura excelente del cielo y la tierra podrían venir por casualidad, cuando con todas sus destrezas, la ciencia no es capaz de hacer una ostra!

—JEREMY TAYLOR, autor y profesor

Tome tiempo para orar a Dios pidiéndole que Él mismo se le manifieste en estos capítulos de manera muy particular. Apunte algunos de sus pensamientos, cree un poema o escriba una oración, por favor realícelo de una manera muy personal.

VERSÍCULO PARA MEMORIZAR

Estableceré mi pacto contigo y con tu descendencia, como pacto perpetuo, por todas las generaciones.

GÉNESIS 17:7

GÉNESIS
[El Libro de los Orígenes]

DÍA DOS

LECTURA COMPLETA: Capítulos 12-21
LECTURA RÁPIDA: Capítulo 3

UN CAPÍTULO CRUCIAL

Stuart Briscoe, pastor y autor inglés, escribe:

> Cuando una anciana, en el sur del país me preguntó si celebrábamos el cuatro de julio en Inglaterra, mi respuesta inmediata fue, "¡No señora, nuestros días van del tercero directo al quinto!". Yo había aprendido mi historia en Inglaterra y cuando vine a este país sabía tan poco de los eventos de 1776 que no hubiera reconocido una Declaración de Independencia (4 de julio de 1776, es el día de la Independencia de los Estados Unidos) si me hubiera tropezado con ella. Pero los tiempos han cambiado, ahora ya sé que la Declaración de Independencia dice que el hombre tiene tres derechos inalienables: "la vida, la libertad y la búsqueda de la felicidad". Y a veces he pensado ¿por qué hay tantas personas infelices en un país donde la libertad para buscar la felicidad es uno de los derechos más valorados?[1].

Nuestro Capítulo Crucial nos va a responder esta pregunta y también explicará por qué la infelicidad está desenfrenada no sólo en América, sino en todo el mundo. Vamos a ver por qué William Shakespeare escribió, "la vida es tan tediosa como una historia contada por segunda vez"[2]. Y por qué Oscar Wilde escribió, "sólo hay dos tragedias en la vida: una es no obtener lo que uno quiere y la otra es obtenerlo"[3].

Si estamos apartados de Dios, Él no podrá darnos paz y felicidad, porque Él no esta ahí. Tal cosa no existe.

—C. S. LEWIS, autor y profesor británico

Imagínese a Adán y Eva en Génesis 1 y 2, ellos estaban en el paraíso (en perfecta armonía y comunidad con Dios, con ellos mismos, con cada uno y con la naturaleza). ¿Podría usted comprender la conversación siguiente?

Adán: -"Estoy tan infeliz con la vida en este jardín."
Eva: -"¡Parece como si no hubiera una salida de esta cosa humana!".
Adán: -"Supongo que debemos sonreír abiertamente y soportar esta ridícula existencia".

No hay ninguna duda, la felicidad definía su existencia. No había ningún dilema, ni huella de una farsa. Pero en Génesis 3, la tragedia sobrevino y el hombre perdió aquello para lo que fue creado, convirtiéndose al contrario en un pecador necesitado de redención. Y así el camino para el Mesías (y para la redención) por venir, Dios lo estuvo preparando una generación a la vez, por los siguientes 2000 años.

Las horribles consecuencias del capítulo 3, saturaron el alma de cada persona nacida desde Adán y con el tiempo exigirían la muerte del mismo Dios, en la persona de Jesucristo.

Lea Génesis 3:1-5 y describa en sus propias palabras la tentación de la serpiente.

Pecado no es simplemente un acto unidimensional. Esto es lo que lo hace tan complicado. Lea Génesis 3:6 y escriba abajo las diferentes dimensiones del pecado que son representadas. Lea 1 Juan 2:16 y compare las características del pecado que son descritas, con las de la experiencia de Eva.

¡ASOMBROSO! ¡Qué dúo Padre-Hijo! Enoc nunca murió (Génesis 5:24) y Matusalén fue el hombre más viejo que conocemos (Génesis 5:27).

La voz del pecado puede ser alta, pero la voz del perdón es altísima.
—D.L. Moody, evangelista del siglo diecinueve

En Génesis 3: 7-13, ¿qué consecuencias encuentra por el pecado de Adán y Eva?

En Génesis 3:14-19, Dios pronunció juicio para los tres participantes de este evento que cambió la historia. ¿Describa el juicio dado para cada uno?

Para la Serpiente:

Gracias Dios por ese lino fino, limpio y blanco:"la justicia" con la cual Cristo cubrió nuestra maltrecha desnudez. Es nuestra, y sin embargo, ningún hilo de ésta fue elaborado en nuestros telares.

—ALEXANDER MACLAREN, predicador británico del siglo diecinueve

Para la Mujer:

Para el Hombre:

Pero cuando Dios pronunció juicio, también ofreció la salvación. Dios es un Dios de redención, sanación y salvación. En Génesis 3:15, él dio el primer indicio de Aquel quién vencería algún día a Satanás y proveería la esperanza para el caído (el hombre pecador). El talón de Jesucristo sería herido; Él moriría en la cruz, sin embargo Se levantaría de la tumba (¡*vivo*!); y la cabeza de Satanás sería aplastada, él finalmente sería vencido, para nunca levantarse al poder otra vez (¡*muerto*!).

En Génesis 3:21, se presenta simbólicamente la salvación que Dios proveyó para Adán y Eva. ¿Explique qué fue lo que Dios hizo?

¿Para usted, cuál ha sido el pensamiento más significativo de este capítulo?

Versículo para Memorizar

Estableceré mi pacto contigo y con tu descendencia, como pacto perpetuo, por todas las generaciones.

GÉNESIS 17:7

GÉNESIS
[El Libro de los Orígenes]

En los días de
Abraham, de las tres
mayores civilizaciones,
Canaán era la más
atrasada y depravada.

DÍA TRES

LECTURA COMPLETA: Capítulos 22-31
LECTURA RÁPIDA: Capítulos 12:1-9; 13:14-18; 15:12-21; 17:1-8

UN PERSONAJE IMPORTANTE

Imagínese esto: Una familia profundamente arraigada en su cultura y comunidad, todos sus parientes viviendo cerca, un modelo que había estado siguiéndose por generaciones. Son felices y exitosos, honrados y respetados por sus vecinos, la satisfacción y la seguridad es todo lo que ellos conocen. Luego un día, el esposo y padre anuncia a la familia que debían levantar estacas y moverse; la familia esta ¡conmocionada! Un miembro de la familia, tras otro, preguntaba con validez: "¿A dónde iremos? ¿Por qué nos estamos moviendo?" Pero todo lo que el padre puede decirles es, "No lo sé".

*Fe es una confianza
atrevida en la gracia
de Dios, tan segura y
cierta que un hombre
podría apostar mil
veces su vida a ésta.*

—MARTIN LUTERO,
reformista alemán del
siglo dieciséis

Parece un poco extraño e insensible y quizás aún estúpido. Pero eso fue justo lo que pasó hace cerca de cuatro mil años. El hombre era Abram, su esposa era Saray. Su historia es registrada en Génesis 12:1-9, y ampliada un poco en Hechos 7:2-5. Lea estos dos pasajes y describa cómo ocurrió este traslado.

Por el año 2000 a.C., cuando Abram salió de Ur de los caldeos, él dejó una vida de lujo. La ciudad tenía 250,000 habitantes, esta cultura era tremendamente avanzada en las artes y las ciencias: ¡Ellos tenían escritos con más de 1000 años de antigüedad!, sus niveles de vida eran altos, con un promedio de casas de clase media, de más de 2000 pies cuadrados y teniendo desde 10 hasta 20 habitaciones[4]. El hecho de dejar esta clase de vida para dirigirse a un lugar desconocido, dice mucho acerca de Abram. Su obediencia a Dios, y su fe en Él, resultaron ser un sello en su vida.

El llamado de Dios a Abram es un acontecimiento determinante, no sólo en el libro de Génesis, sino también para la historia de la humanidad. Dios hizo un pacto, un acuerdo, con ese hombre, que aún hoy esta vigente (y continuará siendo así, hasta que se corra el telón final de la historia). ¡No hay duda que Abraham es un Personaje Importante!

Este pacto es detallado para nosotros en Génesis 12:1-3. El acuerdo incluye tres componentes principales:

1. Dios escoge un hombre, Abram, al que promete bendecir y engrandecer.

2. De ese hombre Dios haría una gran nación, Israel. Y así aquellos que la bendijeran serían bendecidos y aquellos que la afligieran serían afligidos.

3. A través de Abram y su semilla, Dios bendeciría todas las familias de la tierra.

Dios reiteró el pacto hecho a Abram muchas veces, cada vez añadiendo un poco más de información. Brevemente, investigue los siguientes pasajes y haga una lista de las especificaciones que cada uno añade al pacto.

Génesis 13:14-18

Génesis 15:12-21 (especialmente versículos 18-21)

Génesis 17:1-8

NOTA
Un eclipse de sol fue observado por los chinos setenta años antes que Abraham naciera.

Dios es el Dios de promesas. Él cumple su palabra, aun cuando esta parezca imposible; aún cuando las circunstancias parezcan indicar lo contrario.
—COLIN URQUHART, pastor

El pacto original estableció que todas las familias de la tierra serían bendecidas a través de Abraham y sus descendientes (su "semilla").

Compare Génesis 15:5 y 17:7 con Gálatas 3:13-16. ¿Cuál es la última conclusión de Pablo acerca de la bendición de Abraham sobre todas las familias (Gentiles) de la tierra?

¡El pacto de Dios con Abraham ha perdurado por más de cuatro mil años! Como promesa, Abraham *fue* bendecido y su nombre se *hizo* grande. De hecho, las tres mayores religiones del mundo: el Islam, el Judaísmo y el Cristianismo, lo consideran a él en gran estima. Como promesa, Dios construyó una gran nación, Israel, para su posteridad. Como promesa, las familias de la tierra *aún* están siendo bendecidas a través de su descendiente, Jesucristo (el hijo de Dios), el Salvador del mundo, el único que provee la vía para regresar a Dios después de los devastadores resultados del pecado en Génesis 3.

Describa su experiencia en ser bendecido como un resultado de este pacto de Dios con Abraham.

¡REPASE ESTO! Abraham es un Personaje Importante porque Dios lo escogió a él para ser el padre de la nación que brindaría bendiciones para todas las familias del mundo.

VERSÍCULO PARA MEMORIZAR

Estableceré mi pacto contigo y con tu descendencia, como pacto perpetuo, por todas las generaciones.

GÉNESIS 17:7

GÉNESIS
[El Libro de los Orígenes]

DÍA CUATRO

LECTURA COMPLETA: Capítulos 32-41
LECTURA RÁPIDA: Capítulo 38

UNA CARACTERÍSTICA DESTACABLE

Henry Vaughn escribió:

> Y aquí en el polvo y la suciedad,
> ¡Oh! aquí los lirios de su amor brotaron.[6]

Lo más probable es que la Lectura Rápida de hoy, le dejó sus emociones como si usted estuviera peregrinando entre el polvo y la suciedad. El capítulo aparenta ser simplemente una grave descripción del pecado ¿y por qué? Éste no es la clase de pasaje que escogería para una mañana temprana de reflexión. Pero esto está en la Biblia y por una buena razón. Esta razón nos lleva a la Característica Destacable del libro de Génesis.

Cuando pensamos en el pueblo de Dios, Israel y los lugares geográficos asociados con éste, se nos vienen a la mente: Canaán, Palestina, Israel y Judá. Pero no deseamos omitir otro lugar significativo en la construcción de Israel como una nación (la segunda parte del pacto que estudiamos ayer).

Al leer Génesis 15:12-16, se encontrará con una de las repeticiones del pacto de Dios para Abraham. Mientras lee, conteste las siguientes preguntas:

¿Acerca de que tierra está hablando Dios en el versículo 13? (Pista: ¿De qué tierra sacaría Dios a su pueblo?).

¡WOW!
Egipto era tan avanzado que las pirámides fueron construidas seiscientos años antes de que Abraham viviera.

Tenga valor para las penas grandes de la vida y paciencia para las pequeñas, y cuando usted laboriosamente haya realizado sus tareas diarias, vaya a dormir en paz, Dios esta despierto.
—VICTOR HUGO, escritor del siglo diecinueve

Resuma ¿qué pasará con los descendientes de Abraham? (Amorreos es otro nombre para los Cananeos).

Dios declaró en los días de Abraham que su gente estaría sometida a la esclavitud en Egipto por cerca de cuatro siglos. Es lógico preguntar, "¿Por qué?" Si ellos ya estaban en la tierra prometida durante el tiempo de Abraham, y esa fue la tierra que Dios planeó que ellos tendrían para siempre, ¿por qué tomar esta pausa de cuatrocientos años? Es aquí: "donde el polvo y la suciedad" del capítulo 38 entran en escena. Para que el pueblo de Dios fuera una bendición para todas las familias de la tierra, ellos necesitaban permanecer: santos, puros, únicos y separados de las naciones para quién ellos serían una bendición. Recuerde el deseo y plan de Abraham para Isaac, de no casarse con una mujer cananea (Génesis 24:1-4).

Teniendo esto en cuenta, ¿qué le dice el capítulo 38 acerca de Judá, un bisnieto de Abraham y un representante del pueblo que Dios estaba edificando como una nación para bendecir la tierra?, ¿Qué nos muestra esto sobre los Cananeos?

Nada, por lo tanto, pasa sin que el Omnipotente quiera que esto pase, Él igual permite que esto pase ó lo realiza de Él mismo.

—San Agustín de Hipona, obispo del siglo cuarto en África del Norte

Nosotros tenemos un problema doble aquí: por una parte, el pueblo de Dios (ilustrado en Judá) estaba siendo atraído por la cultura y estilo de vida de los cananeos y por el otro lado, los cananeos estaban, complacidos, aceptándolos e integrándolos a ellos. El capítulo 38 nos muestra por qué Dios necesitaba sacar a su pueblo de Canaán mientras que Él los convertiría en una nación grande. Pero, ¿Por qué escogió Él a Egipto?

Génesis 43:32 nos da una reflexión significativa. José, quien había sido vendido como esclavo por sus hermanos, era ahora el segundo en mando en Egipto; una hambruna mundial estaba avanzando y sus hermanos habían venido a Egipto para comprar grano y sin saberlo ellos estaban negociando con José. Lea Génesis 43:26-32. En el versículo 32 se explica porque Dios escogió a Egipto.

Siendo Egipto una cultura segregacionista, fue el lugar perfecto para que Dios forjara un pueblo distinto y separado. Diferente a Canaán, Egipto permitiría al pueblo de Dios estar (en términos del Nuevo Testamento) "en el mundo, pero no ser del mundo". En el polvo y la suciedad del capítulo 38, Dios en su soberanía ocasionó que los lirios de su amor brotaran. La vida de Judá comenzó a cambiar a partir de ese momento y pronto toda la familia de Jacob estaba camino hacia su seguridad en Egipto. Dios mostró que en medio del pecado, Él sigue trabajando para su gloria y en beneficio de Su pueblo.

Recuerde un tiempo en su vida cuando fue evidente que: "entre el polvo y la suciedad, los lirios del amor de Dios brotaron".

VERSÍCULO PARA MEMORIZAR

Estableceré mi pacto contigo y con tu descendencia, como pacto perpetuo, por todas las generaciones.

GÉNESIS 17:7

¡REPASE ESTO!
Una Característica Destacable del libro, es la soberanía de Dios en escoger a Egipto como el lugar para desarrollar Su nación.

GÉNESIS
[El Libro de los Orígenes]

SÓLO UN
PENSAMIENTO
La capa de José "de
muchos colores", era
probablemente blanca
y con flecos de colores.

DÍA CINCO

LECTURA COMPLETA: Capítulos 42-50
LECTURA RÁPIDA: Capítulo 22

UN PRINCIPIO ETERNO

Después de un largo día de trabajo, un hombre joven simplemente deseaba ir a casa a relajarse, y cuando iba camino al elevador, escuchó gritos y vio salir humo y las flamas que se propagaban por el pasillo, el pánico se apoderó de él y pensó: "Estoy en el sexto piso, nunca voy a llegar abajo". El pasillo se encontraba envuelto en llamas, y recordando las ventanas de su oficina, llegó a éstas pero no podía ver nada, solamente humo. Él oía a la gente gritándole que saltara, pero el miedo lo invadía. Un bombero mediante un altoparlante le dijo: "La única forma de que usted sobreviva es saltando, nosotros estamos extendiendo una red y usted estará a salvo"; él sintió mucho miedo. Él no podía ver la red cuando escuchó otra voz que hizo que sus miedos desaparecieran: "Está bien hijo, puedes saltar". Era su padre . La relación de amor que ellos habían construido a través de los años le dio a él, coraje para confiar en su padre aunque no pudiera verlo.[7]

Confianza. Fé. No se trata de un salto hacia lo desconocido, ni de un intento en la oscuridad, ni de una actitud de esperar que todo salga bien. Mejor dicho, es "la garantía de lo que se espera, la certeza de lo que no se ve" (Hebreos 11:1). Éste es ciertamente un Principio Eterno (que fue gráficamente mostrado en Génesis 22, en la vida de Abraham).

Ahora hemos llegado a Génesis 22, donde Isaac es ya un adolescente. ¡Abraham tuvo que esperar veinticinco años para que su hijo prometido naciera! y la mayoría de esos veinticinco años

*Yo no deseo
simplemente poseer
una fe; Yo deseo una fe
que me posea a mí.*

—CHARLES KINGSLEY,
escritor británico del
siglo diecinueve

Dios había estado en silencio. No es difícil de imaginar lo que debió haber reinado en el corazón de Abraham una vez que ese hijo finalmente arribó: amor profundo, orgullo intenso, deleite inexplicable y protección paternal. Para luego enfrentarse con las palabras devastadoras del capítulo 22, la prueba máxima en la vida de Abraham.

Lea Génesis 22:1-2, si usted fuera Abraham, ¿qué sentiría en este momento?

Démonos cuenta de qué Dios respondió a cinco de las seis preguntas básicas:

¿Quién?

> *Tu hijo, tu hijo único, Isaac.*

¿Cuándo?

> *Ahora.*

¿Dónde?

> *La tierra de Moria sobre uno de los montes que Yo te mostraré.*

¿Qué?

> *Sacrificarlo a él.*

¿Cómo?

> *Como una ofrenda de holocausto.*

¿Por qué?

La Fe es el Principio
Eterno representado
claramente en la
orden que Dios dio a
Abraham de sacrificar
a Isaac.

Ninguna razón fue dada. Sólo la orden de ir.

Lea Génesis 22:3-7, ¿Qué hubiera pasado por su mente después de que Isaac hiciera una pregunta como esta?

Lea Génesis 22:8 y compárelo con Hebreos 11:17-19. ¿Qué dicen estos versículos acerca de Abraham?, ¿Fue ésta una tarea fácil para él?

Lea Génesis 22:9-12; finalmente, la pregunta "del ¿Por qué?" fue contestada, la encontramos en el versículo 12. Con sus propias palabras, puede explicar esta respuesta.

A.W. Tozer, en uno de sus libros, escribe:

> Dios permite que el anciano, que está sufriendo, siga llevando a cabo el plan hasta el punto en que Él sabe que no hay posibilidad de retorno, y entonces le prohibe poner una mano sobre el joven. Al patriarca asombrado, Él le dice ahora: "Está todo bien Abraham, Yo nunca tuve la intención de que mataras al muchacho, Yo solamente lo quería remover del templo de tu corazón y que Yo pudiera indiscutiblemente reinar allí. . . . Ahora, Yo sé que tú temes a Dios, al ver que no has escatimado a tu hijo, tu hijo único de Mí"[8].

Cuanto más nosotros dependemos de Dios, tanto más encontramos que Él es digno de confianza.

—CLIFF RICHARD

Confianza y fe. Tomar a Dios en su palabra. Pero recuerde, no es confianza y fe en un principio, es confianza y fe en una persona: Dios mismo. Se trata de confiar en la relación de amor con un padre quien dice: está bien, salta.

Nuevamente dé un vistazo rápido a los siguientes versículos haciendo hincapié en las palabras: *Dios, Él y Señor*, tal como ellas aparecen en Génesis 22:1-3, 8-12.

Describa un momento en el que usted enfrentó una situación muy difícil y confió en Dios.

¿Cuáles fueron los desafíos?

¿Qué piensa fue lo que le animó a confiar en Él?

¿Cómo ha cambiado usted a causa de esa experiencia?

Que caiga sobre mí ahora ¡Oh!, Dios, un gran sentido de Tu poder y de Tu gloria, para que pueda ver todas las cosas terrenales en su verdadera dimensión; Yo estoy contento ¡Oh! Padre de dejar mi vida en Tus manos, estoy contento de darte toda mi voluntad para que Tú la controles.

—John Baillie[9]

Versículo para Memorizar

Estableceré mi pacto contigo y con tu descendencia, como pacto perpetuo, por todas las generaciones.

Génesis 17:7

GÉNESIS
[El Libro de los Orígenes]

REPASO

1. El tema de Génesis es el libro de los _____. Génesis es el origen de las bendiciones para todas las familias de la tierra.

2. El Capítulo 3 es un Capitulo Crucial, en éste se describe el primer pecado del hombre y la primera promesa de _____ de Dios.

3. _____ es un Personaje Importante porque Dios lo escogió a él para ser el padre de la nación que brindaría bendiciones para todas las familias del mundo.

4. Una Característica Importante del libro, es la _____ de Dios en escoger a Egipto como el lugar para desarrollar Su nación.

5. "Estableceré mi _____ contigo y con tu descendencia, como pacto perpetuo, por todas las generaciones".

GÉNESIS 17: _____

ÉXODO

[El Libro de la Liberación]

Yo soy el SEÑOR tu Dios. Yo te saqué

de Egipto, del país donde eras esclavo.

ÉXODO 20:2

ÉXODO
[El Libro de la Liberación]

INTRODUCCIÓN

En el libro de Éxodo continuamos con la historia de la familia de Abraham. Sus descendientes, los israelitas, habían pasado de ser una familia de setenta personas a una de más de dos millones de personas. Cuando ellos estaban viviendo en la región de Gosén, un área dentro del país de Egipto, hubo un cambio en su clima político y los israelitas fueron obligados a vivir en la esclavitud.

Sin embargo Dios escuchó sus gritos pidiendo ayuda y levantó un líder, Moisés, para que los guiara hacia la libertad. En una de las series más maravillosas de milagros en la Biblia; Dios libera a su pueblo de la cruel esclavitud, hacia la libertad. Dios los sacó fuera de Egipto, atravesando el Mar Rojo hasta el Monte Sinaí. Allí Él les dio los diez mandamientos y las instrucciones para construir el Tabernáculo (una elaborada tienda de campaña en forma portátil), donde la gloria de Dios habitaría entre Su pueblo escogido.

Éxodo abarca un período de menos de dos años. En este corto tiempo, Dios deja ver mucho acerca de Su carácter, Su poder increíble y Su fidelidad para mantener sus promesas. Éste es el mismo Dios que hoy le ofrece a usted la libertad.

ÉXODO
[El Libro de la Liberación]

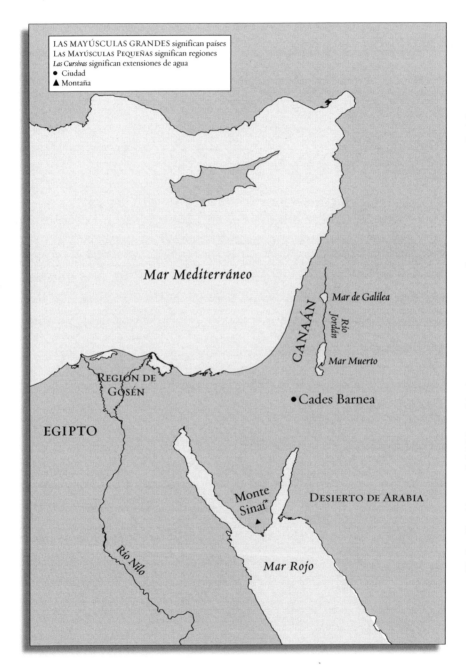

LAS MAYÚSCULAS GRANDES significan países
LAS MAYÚSCULAS PEQUEÑAS significan regiones
Las Cursivas significan extensiones de agua
● Ciudad
▲ Montaña

Mar Mediterráneo

Mar de Galilea

Río Jordán

CANAÁN

Mar Muerto

● Cades Barnea

REGIÓN DE GOSÉN

EGIPTO

Monte Sinaí*
▲

DESIERTO DE ARABIA

Río Nilo

Mar Rojo

*La localización actual del Monte Sinaí se cree está aquí, sin embargo esto es aún asunto de debate.

ÉXODO
[El Libro de la Liberación]

RESUMEN

¿Quién?   Autor: Moisés
Personaje Principal: Moisés

¿Qué?   No tengas otros dioses además de Mí

¿Cuándo?   El libro cubre aproximadamente 400 años, aunque la mayoría del libro abarca menos de dos años.

¿Dónde?   El libro comienza en Egipto y termina en el Monte Sinaí

¿Por Qué?   Dios libera a los israelitas de la esclavitud Egipcia

I.   DIOS LIBERÓ A ISRAEL DE LA ESCLAVITUD EGIPCIA. (ÉXODO 1-14).

    A. Dios designó a MOISÉS para liberar al pueblo (Éxodo 3-4).

    B. Dios envió diez PLAGAS sobre los Egipcios (Éxodo 7-11).

    C. La PASCUA es la celebración de que Dios pasó por alto a los israelitas cuando Él hirió de muerte a todos los primogénitos egipcios (Éxodo 12).

    D. Dios separó el MAR ROJO y sacó a los israelitas de Egipto (Éxodo 14).

II.   LOS ISRAELITAS REHUSABAN CONFIAR EN DIOS, ELLOS MURMURABAN Y SE QUEJABAN (ÉXODO 15-18).

    A. Ellos temían morir de hambre y Dios les envió las codornices y el MANÁ.

    B. Ellos temían morir de sed y Dios les envió AGUA proveniente de una roca.

    C. Moisés necesitaba ayuda y Dios le envió a JETRO.

III.   DIOS DECLARÓ EN EL MONTE SINAÍ SU plan para Israel (ÉXODO 19-24).

    A. Los Diez MANDAMIENTOS brindaron orden para la vida.

1. Los primeros cuatro mandamientos tienen que ver con la relación entre Dios y el hombre.

a. No tengas otros dioses.

b. No te hagas ningún ídolo.

c. No pronuncies el nombre del Señor tu Dios en vano.

d. Honra al Señor tu Dios, consagrándolo en el séptimo día (el sábado).

2. Los siguientes seis mandamientos tratan de la relación hombre con hombre.

a. Honra a tu madre y a tu padre.

b. No mates.

c. No cometas adulterio.

d. No robes.

e. No des falso testimonio en contra de tu prójimo.

f. No codicies.

IV. DIOS DIO INSTRUCCIONES A SU PUEBLO PARA CONSTRUIR EL TABERNÁCULO (ÉXODO 25-40).

A. Ellos construyeron el tabernáculo de acuerdo con las instrucciones de Dios.

B. Al final de Éxodo, la gloria del Señor llenó el tabernáculo (Éxodo 40:34).

C. El tabernáculo fue un constante recordatorio de que Dios vivía entre ellos.

APLICACIÓN

Dios tiene el poder de librarnos de la esclavitud y brindarnos el gozo de Su presencia, provisión y protección.

ÉXODO
[El Libro de la Liberación]

APRENDIENDO PARA LA VIDA

1. Comenzando con Génesis, desarrolle las bases para el libro de Éxodo (trabajo de grupo).

2. Lea Génesis 15:13-16, Dios dio una promesa a Abraham.

   a. ¿Qué parte representa el libro de Éxodo en esta promesa?

   b. ¿Qué dice esto acerca de la fidelidad de Dios?

3. Si usted hubiera sido parte del Éxodo, ¿En qué momento se habría convencido de que Dios era de hecho el único completamente sabio y poderoso?

4. La noche que el ángel de la muerte pasó sobre las casas de los israelitas fue un punto fundamental en la historia de Israel. ¿Cómo está Cristo relacionado con la pascua? (Vea 1 Corintios 5:7; 1 Pedro 1:18-19).

5. Hay Diez Mandamientos (Éxodo 20). Por favor repáselos y diga ¿Por qué piensa que Dios escogió cada uno de estos para su pueblo?

6. Éxodo es un libro acerca de un pueblo sujeto a la esclavitud y de un Dios asombroso quien lo llevó hacia la libertad. ¿Cuáles son hoy algunas de las cosas que lo mantienen a usted en la esclavitud?

ÉXODO
[El Libro de la Liberación]

DÍA UNO

LECTURA COMPLETA: Capítulos 1-10
LECTURA RÁPIDA: Capítulo 1

LA ILUSTRACIÓN PRINCIPAL

Cuando Jacob y su familia entraron en Egipto, ellos ascendían a 70 personas (ver Génesis 46:27). Cuando se fueron 400 años después, su número era ¡aproximadamente de 2.5 millones! Incluso si se comportaran bien, que no lo hicieron, ¿Se imagina usted liderar una multitud de esta clase? Considere las estadísticas siguientes:

- Supongamos que una familia necesita unos 50 por 50 pies de área para armar su tienda de campaña y también el área para su ganado (que probablemente tenian 6 por familia), entonces, para dicha multitud se necesitaría un área de 3 mil millones de pies cuadrados (10.5 millas por 10.5 millas).

- Cuando la muchedumbre se aproximaba al Mar Rojo, marchando cincuenta personas al día (con animales), la fila habría tenido una extensión de 123 millas.

- Si usted observara pasar aquel desfile increíble a una velocidad de 2.5 millas por hora, tendría que quedarse allí por 49 horas.

- Si Dios hubiera escogido el ferrocarril para llevar el maná de Su pueblo y el alimento de los animales, el tren habría usado 160 vagones de carga *diaria*.

- Si cada día una persona tomaba un mínimo de 1 galón de agua y un animal 2 galones, otros 1,080 tanques de carga adicionales habrían sido necesarios.

- El tren, llevaría ahora 1,240 vagones los cuales ocuparían 9.5 millas midiéndolas desde el motor hasta el último de sus furgones.[1]

La provisión de Dios para su pueblo (*por 40 años*) fue simplemente milagrosa y Moisés lideró esta promesa increíble, por decir lo menos, de manera impresionante.

La historia de la salida de Egipto y la entrada en Canaán, se inicia en el libro de Éxodo, y al final de éste, el pueblo estaba a 39 años y a muchas millas de establecerse en la tierra prometida; pero el viaje épico había comenzado.

La información en el libro de Éxodo se puede resumir así:

1 14	15 18	19 40
LA LIBERACIÓN de Egipto por medio de Dios	**EL DESCONTENTO del** Pueblo en el Desierto	**LAS DECLARACIONES** de Dios en el Monte Sinaí
La Esclavitud Moisés Las Plagas El Mar Rojo	La Codorniz El Maná El Agua Jetro	Los Diez Mandamientos Otra Variedad de Leyes El Becerro de Oro El Tabernáculo

Como se puede ver en la gráfica, muchos acontecimientos importantes y con los que estamos familiarizados tienen lugar en el libro de Éxodo. Algunos de estos los vamos a tratar en los próximos días.

Al igual que con los otros libros del Pentateuco, Moisés es el autor de éste. Y suponiendo que él escribió estos registros poco después de salir de Egipto, la fecha posible de su escritura podría ser estimada. Vemos en Primera de Reyes 6:1 que dice: "Salomón comenzó a construir el templo del Señor cuando habían transcurrido cuatrocientos ochenta años desde que los israelitas salieron de Egipto", y a través de los registros arqueológicos podemos rastrear el evento en el año 960 a.C. Por lo tanto, 480 años antes, en el año 1440 a.C., se produjo el Éxodo y Moisés comenzó a registrar dichos eventos los cuales han sido preservados en este libro para nosotros.

Esta es una fe razonable, saludable y práctica: en primer lugar, es asunto del hombre el hacer la voluntad de Dios; en segundo lugar, Dios toma sobre Sí Mismo el cuidado especial de ese hombre y en tercer lugar, ese hombre nunca debe sentir miedo de nada.

—GEORGE MACDONALD, novelista y poeta escocés del siglo diecinueve

La profecía de Dios hablada a Abram 640 años antes, se había hecho realidad: "El Señor le dijo: "Debes saber que tus descendientes vivirán como extranjeros en tierra extraña, donde serán esclavizados y maltratados durante cuatrocientos años" (Génesis 15:13). Para los israelitas un tiempo largo y difícil realmente había pasado.

Ahora la parte buena de la profecía estaba a punto de cumplirse:

"Pero Yo también juzgaré a la nación a quién ellos servirán y después ellos saldrán con muchas posesiones"(Génesis 15:14).

Esta salida "con muchas posesiones" es el drama de Éxodo, un drama que enfrenta la fuerza de Jehová contra la fuerza de Egipto, sus dioses y su Faraón. Y en este drama Dios dice: "No tengas otros dioses además de Mí".

En su Lectura Rápida para hoy enlace los libros de Génesis y Éxodo. Anote las ideas principales del capítulo. Luego, ore, pidiéndole a Dios que su corazón sea receptivo a las verdades que encontrará en Éxodo.

VERSÍCULO PARA MEMORIZAR

Yo soy el SEÑOR tu Dios. Yo te saqué de Egipto, del país donde eras esclavo.

ÉXODO 20:2

ÉXODO
[El Libro de la Liberación]

DÍA DOS

LECTURA COMPLETA: Capítulos 10-20
LECTURA RÁPIDA: Capítulos 11-12

¿SABÍA USTED?
Abril, el mes de la Pascua, se convirtió en el primer mes del año para los israelitas (Éxodo 12:2).

LOS CAPÍTULOS CRUCIALES

Un *Momento Decisivo* significa, un punto o un período de tiempo cuando las cosas son cambiadas para siempre. Ya no es el estado de las cosas como lo era en un determinado momento, el status quo es abolido, el pasado ya no existe y un nuevo futuro llega.

La ceremonia de matrimonio, el nacimiento de un niño, la muerte de un ser querido.

En la historia de los Estados Unidos de América: La Declaración de la Independencia, el último tornillo en el vía férrea del ferrocarril transcontinental, la aprobación de la Enmienda Decimonovena, la cual garantiza los derechos de la mujer para votar y el 9/11 (fecha de la destrucción de las Torres Gemelas en Nueva York).

A veces la importancia de un evento es inmediata; en otros momentos sólo la retrospectiva ofrece una comprensión clara de éste, y frecuentemente será un poco de ambas.

La Pascua fue uno de esos momentos decisivos, parte de su significado fue evidente de inmediato y otra parte ha sido revelada con el tiempo. Los capítulos que contienen las promulgaciones originales son nuestros Capítulos Cruciales y su Lectura Rápida para hoy.

El significado original de la Pascua era la protección por Dios de las vidas de los israelitas, durante la plaga décima y final en Egipto. Fue esta plaga la que finalmente quebrantó la resistencia

Nuestros momentos de inspiración no se pierden a pesar de no tener un poema en particular para evidenciarlos; porque estas experiencias han dejado una huella indeleble y para siempre las recordaremos de vez en cuando.
—HENRY DAVID THOREAU, escritor norteamericano

REFLEXIÓN
El Cordero de la Pascua
debía ser sacrificado
entre las 3 y las 6
PM, estás fueron las
mismas horas en que el
Cordero de Dios murió
1,450 años más tarde.

del Faraón y allanó el camino para que el pueblo de Dios pudiera salir de Egipto y comenzara su viaje largo y difícil hacia la Tierra Prometida.

Lea Éxodo 11:4-7 y luego con sus propias palabras describa la plaga.

Después de leer Éxodo 12:1-13, describa en dos o tres oraciones cómo los israelitas se prepararon para estar a salvo de la plaga que era la muerte de todos los primogénitos.

El siguiente resumen muestra las instrucciones seguidas en la Pascua, éste le ayudará a comprender los componentes individuales de cada una de las acciones requeridas de los israelitas.

Si su confianza ha estado fundamentada en su propia justicia, entonces todo lo que Cristo hizo para pagar por la salvación y todo lo que Dios hizo para preparar el camino para esto, ha sido en vano.

—JONATHAN EDWARDS, escritor puritano y predicador del siglo dieciocho

LA SELECCIÓN del Cordero	EL SACRIFICIO del Cordero	LA CENA del Cordero
Clave: **LA PERFECCIÓN**	Clave: **LA PROTECCIÓN**	Clave: **LA PROVISIÓN**
Comprobado sin defecto	Estar pintado en los postes de las puertas	Ser consumido la misma noche
12:3 12:6	12:6 12:7	12:8 12:11

La perfección del cordero iba a ser probada, seleccionando éste en el día diez del mes y observándolo hasta el día catorce del mismo mes. La protección se produciría como resultado de pintar con la sangre del cordero los dos postes y el dintel de las puertas de las casas donde éste sería comido, ellos entrarían en las casas y no saldrían hasta la mañana siguiente. La provisión se llevaría a cabo cuando los israelitas comieran el cordero de acuerdo con las trece estipulaciones dadas en Éxodo 12:8-11.

Si las personas seguían estas instrucciones, podían estar confiadas de la protección contra la plaga. Conforme con Éxodo 12:12-13,23, ¿Quién llevaría a cabo la plaga, y que retendría la destrucción de la plaga de los hogares de los israelitas?

Lea Éxodo 12:24-27,42 y describa el significado y la intención de este evento.

Este evento entero es un presagio claro de la muerte final del Cordero de Dios (Jesucristo el Hijo de Dios).

- Él fue seleccionado antes de la fundación del mundo por Su Padre y probó ser perfecto durante Sus más de treinta años en la tierra.

- Él fue sacrificado para proteger a aquellos cuyas vidas serían cubiertas con Su sangre, evitando de esta forma, la ira de Dios.

- Él mismo es la cena. Él es la provisión del sustento para aquellos que han evitado la ira de Dios.

La salvación es la obra de Dios para el hombre; no es una obra del hombre para Dios.

—LEWIS SPERRY CHAFER, maestro norteamericano de la Biblia, evangelista, educador y escritor

La Pascua es el acontecimiento histórico que salvó al pueblo de Dios en Egipto de la muerte de sus primogénitos y la causa de que el Faraón los dejara en libertad. A lo largo de los siglos, los judíos han celebrado la Pascua como una fiesta que conmemora este momento decisivo de su historia. Para los cristianos esto revela el hecho que nuestra eternidad depende de la muerte de Jesucristo, de lo cual el apóstol Pablo dijo en 1 Corintios 5:7 "Porque Cristo, nuestro Cordero Pascual, ya ha sido sacrificado".

¿Cuál es su posición en relación con el Cordero Pascual? ¿Está usted protegido por su sangre de la ira de Dios contra el pecado? Si no, usted puede estarlo. Hable con Dios y confiese sus pecados. Pídale Su perdón y por fe acepte Su regalo de protección. Si es un seguidor de Cristo, agradezca a Dios ahora por la obra del Cordero Pascual en su vida.

El Señor está amando continuamente al hombre, es rápido para el perdón, es lento para el castigo. Por lo tanto, no le permitirá al hombre, perderse de su propia salvación.

—San Cirilo de Jerusalén, obispo del primer siglo

¡REPASE ESTO!
Los Capítulos Cruciales son: 11 y 12, porque estos nos muestran cómo la Pascua es un momento decisivo en el plan de Dios para llevar la salvación a Israel y al mundo.

Versículo para Memorizar

Yo soy el SEÑOR tu Dios. Yo te saqué de Egipto, del país donde eras esclavo.

Éxodo 20:2

ÉXODO
[El Libro de la Liberación]

DÍA TRES

Lectura Completa: Capítulos 21-27
Lectura Rápida: Capítulos 3:1; 4:17

Un Personaje Importante

En Europa en el año 1934 la lucha era contra Hitler, quien estaba discriminando a los judíos y arrasando con un continente. Heinz era un niño judío de once años de edad cuando las calles de su pueblo, Bavaria, se convirtieron en un campo de batalla, invadido por los matones de Hitler. Para evitar problemas, Heinz aprendió a mantener sus ojos abiertos. Pero un día, él no pudo evitarlos y una paliza parecía inevitable. Sin embargo, él se alejó ileso, no porque se defendió, sino porque habló. Él usó las palabras para desvanecer el conflicto. Él encontró muchas más oportunidades para perfeccionar la habilidad que un día lo definiría. Finalmente, su familia escapó de Bavaria para los Estados Unidos. Más tarde en la vida, su nombre se convirtió en sinónimo de las negociaciones de paz. Su nombre era Henry Kissinger[2].

Aún de niño, Heinz ya se estaba convirtiendo en lo que algún día sería. Lo mismo ocurre cuando pensamos en Moisés, nuestro Personaje Importante, como el libertador de Israel. Pero eso fue sólo un tercio de su vida. Quite los otros dos tercios y él nunca se habría convertido en el gran líder que Dios lo había llamado a ser.

¿Recuerda la historia de Moisés en los juncos (Éxodo 2:1-10)? Él finalmente se cría y se forma como el hijo de la hija del Faraón. ¿Qué piensa usted que esos cuarenta años en la alta sociedad egipcia forjaron en él?

¡INTERESANTE!
Moisés trabajó como pastor en la misma región a donde con el tiempo conduciría a los israelitas.

Yo ahora, comienzo a ser yo mismo. Esto ha tomado tiempo, lugares y muchos años.
—May Sarton, poeta

Ahora lea Éxodo 2:11-15. Este evento ocurrió cuando Moisés tenía unos cuarenta años. ¿Cómo piensa que esta experiencia contribuyó en su comprensión de sí mismo y de la vida?

¡PIENSE ACERCA DE ESTO!
Moisés, el futuro liberador de Israel, fue así mismo liberado milagrosamente cuando era un bebé.

Moisés se casó con una joven Madianita y se convirtió en un pastor de los rebaños del padre de ella (Éxodo 3:1). En poco tiempo, pasó de ser alguien entre algunos, a un don nadie entre don nadies. De príncipe en el palacio, a pastor en el desierto. De comandante de miles de servidores obedientes; a supervisor de ovejas tontas. De responder al Faraón, el rey; para responder a Jetro, su suegro. A esto es lo que llamamos ¡crisis de la mediana edad! Y de esta manera vivió él durante cuarenta años.

¿Qué piensa usted le enseñaron a él esos cuarenta años, para convertirse en lo que sería algún día?

Nuestras experiencias mundanas contienen todas las cosas de la santidad y del crecimiento humano en la gracia. Pero mucho de esto nos pasa desapercibido. Estamos demasiado ocupados para nombrar el evento que esta bendecido en su cotidianidad, santo en su singularidad y lleno de gracia en su desafío latente.

—JOAN-PULS[4]

Y luego, a los ochenta años de edad, todo cambió. Edmund Burke, el filósofo político del siglo dieciocho escribió la frase: "La historia está llena de trivialidades trascendentales"[3]. Eventos ordinarios pueden ser atravesados con significado extraordinario. Los días de Moisés eran normales y era un día en que él estaba cuidando el rebaño como cualquier otro día (Éxodo 3:1), pero Dios estaba a punto de convertir este día insignificante en uno trascendental. Luego estaba la zarza (común, insignificante y pequeña). Pero Dios estaba a punto de hacerla trascendental. La zarza estaba envuelta en llamas pero no se consumía.

Entonces Dios habló a Moisés en medio de la zarza ardiente. En ese instante, la vida de Moisés cambió drásticamente.

Resuma la Lectura Rápida de hoy (Éxodo 3:1 - 4:17). Trate de capturar la lucha de Moisés con Dios y el llamado de Dios en la vida de Moisés.

¡WOW!
Cada una de las diez plagas fue un juicio contra un dios Egipcio específico.

Finalmente, Moisés y su hermano Aarón desafiaron al Faraón para que permitiera que el pueblo de Dios saliera de Egipto. Dios envió plagas para convencer al Faraón. Los israelitas milagrosamente cruzaron el Mar Rojo y los egipcios se ahogaron en éste. Éxodo 14:30-31 registra el epílogo de la experiencia fenomenal del Mar Rojo. Lea estos versículos y describa cómo el pueblo se sentía con relación a Moisés.

Obviamente, hay mucho más por venir en la historia del liderazgo de Moisés con el pueblo. Pero hasta este punto, resuma tres o cuatro pensamientos que haya tenido acerca de cómo Dios obró con Moisés, mientras él estaba en proceso de convertirse en lo que iba a ser.

El plan que nosotros creamos no es el que determina nuestra satisfacción. Será el que nosotros le permitamos a Dios realizar el plan de su elección.

—GLAPHRE GILLILAND, autor y maestro

¿Podría describir el proceso de cómo Dios ha obrado en su vida para convertirlo en lo que Él quiere que usted sea?

¡REPASE ESTO!
Moisés es el Personaje Importante en Éxodo, vemos como Dios obró en él para ayudarlo a convertirse en lo que necesitaba ser.

VERSÍCULO PARA MEMORIZAR

Yo soy el SEÑOR tu Dios. Yo te saqué de Egipto, del país donde eras esclavo.

ÉXODO 20:2

ÉXODO
[El Libro de la Liberación]

DÍA CUATRO

LECTURA COMPLETA: Capítulos 28-31
LECTURA RÁPIDA: Capítulo 40

DATO
El Atrio del
Tabernáculo cubría
aproximadamente la
cuarta parte de un acre.

UNA CARACTERÍSTICA DESTACABLE

Lana Escarlata	Lana Púrpura	Bronce	Oro
Piedras Montadas	Piedras de Ónice	Plata	Ganchos
Lino Fino	Cortinas	Cajas	Estacas
Pieles de Carnero Teñidas de Rojo	Pelo de Cabra	Especias	Postes
Pieles de Delfín	Velo Azul	Tablones	Aceite
Madera de Acacia	Utensilios	Varas	

La lista anterior indica las instrucciones dadas para la construcción del Tabernáculo, incluyendo detalle tras detalle acerca de los materiales y los productos derivados de éstos. También se dan con precisión exacta las dimensiones de partes específicas del Tabernáculo: trece metros y medio, cuarenta y cinco centímetros de largo por cuarenta y cinco centímetros de ancho, noventa centímetros de alto, cuatro metros y medio por cuatro metros y medio por cuatro metros y medio, de veinte centímetros de ancho y así sucesivamente. Todo debía ser exacto: el color correcto, el tamaño correcto, el tejido correcto, el número correcto.

¿Por qué el detalle, por qué la perfección, nos atrevemos a decir la *exigencia*? Porque esto era para Dios y éste iba a ser Su lugar para vivir entre el pueblo, Su hogar. Y toda esta belleza y precisión demandaba portabilidad porque Dios sabía que los israelitas estarían acampando y levantando el campamento una y otra vez durante ¡cuarenta años!, y éste tenía que *ser así*, porque además de ser el lugar donde Dios viviría, también sería el lugar desde donde Él mostraría a Su pueblo, Su resplandor impresionante.

Jesús no es uno de los muchos caminos para acercarse a Dios, ni es Él, el mejor de varios caminos: Él es el único camino.
—A. W. TOZER, autor y teólogo del siglo veinte

Y había otra razón por la que tenía que *ser justo* de esta manera, éste proporcionaría un medio para que el pueblo pecador se acercara a un Dios Santo. Ésta sería la manera de asegurar el perdón del pecado y de disfrutar la comunión con Su presencia.

Para darse una idea de las instrucciones recibidas, lea estos dos breves pasajes: Éxodo 36:20-34, que describen el trabajo para el Tabernáculo y Éxodo 37:17-24, que indica cómo hacer los candelabros para el interior del Tabernáculo. Anote algunas palabras que describan sus impresiones de lo leído.

¿SABÍA USTED?
Una vasija de maná, las tablas de la Ley y la vara de Aarón estaban en el interior del arca.

El diagrama siguiente indica el diseño del Tabernáculo, incluidos sus salones y su mobiliario.

LUGAR SANTÍSIMO   LUGAR SANTO

Velo Interior

EL ATRIO

CLAVES DEL TABERNÁCULO

El Altar de Bronce

La Fuente de Bronce

La Mesa de los Panes de la Proposición

El Candelabro de Oro

El Altar del Incienso

El Arca del Pacto

Si aquí rechazamos la misericordia, en la eternidad tendremos la justicia.

—JEREMY TAYLOR, autor y profesor

La tabla siguiente describe brevemente la función de cada pieza del mobiliario. Lo cual veremos con más detalle en el libro de Levítico.

MOBILIARIO	UBICACIÓN	FUNCIÓN
El Altar de Bronce	Atrio	Lugar para realizar sacrificios diversos
La Fuente de Bronce	Atrio	Lugar para la limpieza diaria de los sacerdotes
La Mesa de los Panes de la Proposición	Lugar Santo	Los sacerdotes comían el pan una vez por semana
El Candelabro de Oro	Lugar Santo	Brindaría luz en el Lugar Santo
Altar del Incienso	Lugar Santo	El incienso se quemaba para Dios dos veces al día
Velo Interior	Ubicado entre el Lugar Santo y el Lugar Santísimo	Separaba al hombre de Dios; el sumo sacerdote entraba a través de éste una vez al año
El Arca del Pacto	Lugar Santísimo	Sostenía el propiciatorio, indicaba la presencia de Dios
Propiciatorio	Lugar Santísimo	Tapa del arca, por el perdón la sangre era rociada allí una vez al año

Cada pieza del mobiliario y su función señalaba a Jesucristo. Este Tabernáculo terrenal era el reconocimiento por parte de los israelitas, de la presencia y gloria de Dios y su manera de acercarse a Él. Así también, Jesucristo es nuestro reconocimiento de la presencia y gloria de Dios y nuestra forma de acercarnos a Dios. Lea Juan 1:14 y dese cuenta de que la frase "habitó entre nosotros" significa literalmente "vivió entre nosotros".

Piense en las piezas del mobiliario y explique con sus propias palabras ¿Cómo Jesucristo representa las imágenes del Tabernáculo?

PIENSE ACERCA DE ESTO
Casi todas las formas de arte y oficios conocidos hasta ese momento fueron utilizados en la construcción y la preparación del Tabernáculo.

Tengo una gran necesidad de Cristo; tengo un gran Cristo para mi necesidad.

—CHARLES SPURGEON, predicador británico del siglo diecinueve

Lea Éxodo 40:34-38. Si usted fuera un israelita mirando esta escena en persona, ¿Qué pensaría? ¿Qué sentiría?

¡REPASE ESTO!
El Tabernáculo es una Característica Destacable en Éxodo, ya que representa la presencia de Dios y nuestra manera de acercarnos a Él.

VERSÍCULO PARA MEMORIZAR

Yo soy el SEÑOR tu Dios. Yo te saqué de Egipto, del país donde eras esclavo.

ÉXODO 20:2

ÉXODO
[El Libro de la Liberación]

DÍA CINCO

Lectura Completa: Capítulos 32-40
Lectura Rápida: Capítulo 20

Un Principio Eterno

En uno de sus libros, Ron Mehl cuenta la historia del famoso golfista Chi Chi Rodríguez. El golfista estaba manejando con un amigo y cuando la luz cambió a rojo aceleró para atravesarla. "¡Chi Chi!" -gritó su amigo. "Pasaste cuando la luz estaba en rojo", Chi Chi respondió: "Mi hermano me enseñó a conducir y él no se detiene en las luces rojas, así que yo tampoco". Efectivamente, en la siguiente luz roja, zoom, él aceleró para atravesarla. Su amigo era un manojo de nervios, pero Chi Chi sólo repetía: "Mi hermano me enseñó a conducir y él no se detiene en las luces rojas, así que yo tampoco". Ellos no tardaron en llegar a una luz verde y Chi Chi se detuvo, miró nerviosamente en ambos sentidos. "¿Por qué *ahora* te detienes en esta luz verde?", su amigo preguntó. Chi Chi respondió: "¡Porque puede que venga mi hermano!"[5].

Todos nosotros atravesamos semáforos en rojo de vez en cuando. Tal vez no del tipo físico que cuelga sobre las intersecciones, pero sí, los de tipo moral que cuelgan sobre nuestras conciencias.

Nuestro Principio Eterno, o más exactamente Principios, son una serie de luces rojas dadas por Dios. Muchos prefieren llamarlos las diez sugerencias, pero Dios los llamó los Diez Mandamientos. Estos se encuentran en Éxodo 20:1-21 y pueden ser mejor recordados como dos secciones principales, cada una con un enfoque diferente.

Puede que no todos quebrantemos los Diez Mandamientos, pero sin duda todos somos capaces de hacerlo. Dentro de nosotros se esconde el infractor automático de todas las leyes, listo para aparecer en la primera oportunidad real.

—Isadora Duncan, bailarina del siglo veinte

RECUERDE
El noveno
mandamiento incluye
el chisme, la calumnia
y los halagos.

Los Diez Mandamientos son la voluntad justa de Dios para Su pueblo, dados no como un garrote sobre nuestras cabezas, sino como un tirón en nuestros corazones. Él nos los da no para frustrarnos sino para liberarnos y para que vivamos en armonía, con santidad.

MANDAMIENTOS I–IV	MANDAMIENTOS V–X
I. No tendrás otros dioses además de Mí. II. No te hagas ningún ídolo para adorarlo. III. No pronuncies el nombre del Señor tu Dios a la ligera. IV. Acuérdate del sábado para consagrarlo.	V. Honra a tu padre y a tu madre. VI. No mates. VII. No cometas adulterio. VIII. No robes. IX. No des falso testimonio. X. No codicies.
Relación con DIOS	Relación con el HOMBRE
Ama al Señor tu Dios con todo tu corazón, con todo tu ser y con toda tu mente. (Mateo 22:37)	Ama a tu prójimo como a ti mismo. (Mateo 22:39)

Estos mandamientos eran parte de la constitución de Israel como un pueblo. Al igual que con otras constituciones, ésta incluye un preámbulo. Lea Éxodo 19:3-6 y anote los principios establecidos en este preámbulo.

Alguien se lo figuró, tenemos 35 millones de leyes tratando de hacer cumplir los Diez Mandamientos.

—EARL WILSON, escritor y columnista norteamericano del siglo veinte

Ahora lea el capítulo 20. En los versículos 1-2 Dios brevemente estableció Su motivación para darnos los Diez Mandamientos y la motivación de Su pueblo para seguirlos. Describa y responda para cada motivación:

La motivación de Dios:

La motivación del pueblo:

Al leer acerca de estos mandamientos, ¿Cuáles cree usted que son los más consistentemente desobedecidos? ¿Por qué?

En su caminar con Dios, usted probablemente habrá notado que la Ley trabaja mucho mejor en señalar nuestro pecado, que en darnos el poder para sobreponernos a éste. Si esta es su experiencia, usted está en el camino correcto. La ley está diseñada para mostrar nuestros pecados (ver Romanos 7:7) y guiarnos a la dependencia completa del único quien ha obedecido la ley perfectamente (Jesucristo), (vea Romanos 5:17-21, 8:1-4). Una relación personal con Él nos libera del castigo por violar la ley de Dios y nos permite vivir las disposiciones de dicha ley.

Basándose en estas ideas ¿Cuál mandamiento le ha desafiado más a usted? ¿Por qué?

El principio y el final de la ley es la bondad.
Proverbio judío

¿Qué progresos ha visto en su vida, en esta área? En otras palabras, ¿Cuán diferente es usted con respecto a hace diez años?

Recuerde, estos mandamientos expresan la voluntad justa de Dios para usted y le fueron dados de parte de un corazón lleno de amor que le desea lo mejor. ¿Hay algo en esos principios eternos qué necesita tratar más seriamente?, ¿Si es así, qué? y ¿Cómo buscaría darle más atención?

¿Estoy yo dispuesto a renunciar a lo que tengo para ser lo que no soy todavía? ¿Soy capaz de seguir el espíritu del amor hacia el desierto? Este es un momento terrible y sagrado. No hay retorno. Nuestra vida es cambiada para siempre. Este es el fuego que nos da nuestra forma.

—MARY CAROLINE RICHARDS, profesora, escritora, escultora y poeta del siglo veinte

VERSÍCULO PARA MEMORIZAR

Yo soy el SEÑOR tu Dios. Yo te saqué de Egipto, del país donde eras esclavo.

ÉXODO 20:2

ÉXODO
[El Libro de la Liberación]

REPASO

1. El tema de Éxodo es: no tendrás otros _____ además de Mí.

2. Los Capítulos Cruciales son: 11 y 12, porque estos nos muestran cómo la _____ es un momento decisivo en el plan de Dios para llevar la salvación a Israel y al mundo.

3. _____ es el Personaje Importante en Éxodo, vemos como Dios obró en él para ayudarlo a convertirse en lo que necesitaba ser.

4. El _____ es una Característica Destacable en Éxodo, ya que representa la presencia de Dios y nuestra manera de acercarnos a Él.

5. "Yo soy el SEÑOR tu Dios. Yo te saqué de Egipto, del país donde eras _____."

ÉXODO 20: _____

LEVÍTICO

[El Libro de la Santidad]

Sean, pues, santos, porque yo soy santo.

LEVÍTICO 11:45

TRES

LEVÍTICO
[El Libro de la Santidad]

INTRODUCCIÓN

Mientras los israelitas estaban acampando al pie del Monte Sinaí, Dios les dio leyes civiles, religiosas y morales y fue ahí donde Él les enseñó la manera adecuada de acercarse a Él, un Dios santo. El pecado había separado al hombre de Dios y el castigo para el pecado es la muerte.

En Levítico, sin embargo, Dios dio a Israel una manera de evitar este castigo, Él les dio instrucciones detalladas con respecto al ofrecimiento de sacrificios y ofrendas, de manera que los hombres y las mujeres impíos pudieran vivir en comunión con Él, un Dios santo. Él permitió la muerte de los animales para que sirviera como substituto del pago por el pecado del hombre. Este libro de instrucciones apunta directamente al sacrificio final de Jesucristo (El Mesías), quien vendría mil cuatrocientos años más tarde.

LEVÍTICO
[El Libro de la Santidad]

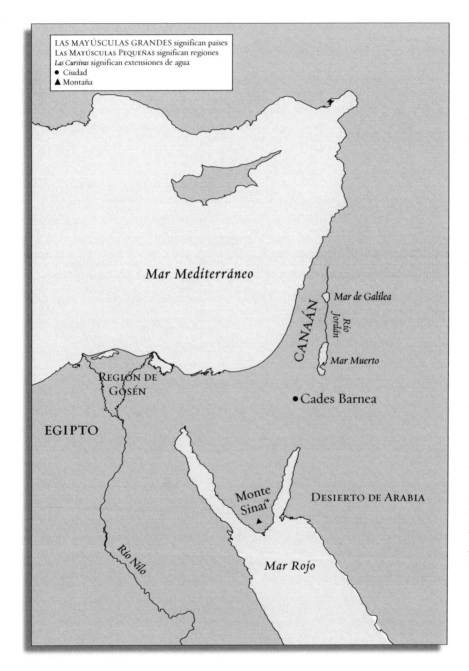

LAS MAYÚSCULAS GRANDES significan países
LAS MAYÚSCULAS PEQUEÑAS significan regiones
Las Cursivas significan extensiones de agua
● Ciudad
▲ Montaña

Mar Mediterráneo

Mar de Galilea

CANAÁN

Río Jordán

Mar Muerto

● Cades Barnea

REGIÓN DE GOSÉN

EGIPTO

Monte Sinaí* ▲

DESIERTO DE ARABIA

Río Nilo

Mar Rojo

*La localización actual del Monte Sinaí se cree está aquí, sin embargo esto es aún asunto de debate.

L EVÍTICO
[El Líbro de la Santidad]

RESUMEN

¿QUIÉN?   Autor: Moisés
             Personajes Principales: Moisés y su hermano Aarón

¿QUÉ?   Sean, pues, santos, porque Yo soy santo.

¿CUÁNDO?   Aproximadamente un año después del Éxodo. El libro abarca un mes

¿DÓNDE?   Los eventos en el libro toman lugar al pie del Monte Sinai

¿POR QUÉ?   El Libro de Levítico fue para Israel la guía para la santidad

I.   EL TABERNÁCULO: LA SANTA MORADA DE DIOS

   A. El ALTAR de bronce estaba en el atrio del Tabernáculo, inmediatamente al entrar por la puerta del este.

      1. El altar representaba la necesidad del pueblo de ofrecer un sacrificio de sangre para acercarse a Dios. El sacrificio de Cristo fue el último y es suficiente para nosotros el día de hoy.

   B. La FUENTE de bronce seguía después en el atrio.

      1. Representaba la necesidad de limpiar los pecados antes de acercarse a Dios.

      2. Si confesamos nuestros pecados hoy, Cristo es fiel para perdonarlos y limpiarlos.

   C. La mesa de los PANES sostenía doce hogazas de pan y estaba dentro del Lugar Santo, ubicada hacia la pared norte.

      1. Representaban las doce tribus de Israel.

      2. Jesucristo es el Pan de Vida.

   D. El CANDELABRO DE ORO ardía continuamente y estaba dentro del Lugar Santo en la pared sur.

      1. Representaba a Jesucristo, La Luz del Mundo.

E. El Altar para el INCIENSO estaba en el Lugar Santo en la pared oeste.

   1. Representaba las oraciones de los santos.

   2. Cristo es el intercesor de nuestras oraciones.

F. El VELO separaba el Lugar Santo del Lugar Santísimo.

   1. Representaba la barrera entre el hombre y Dios.

   2. Cuando Cristo murió el velo fue rasgado en dos, desde arriba hasta abajo. Ahora a través de Cristo no hay una barrera entre Dios y el hombre.

G. El ARCA del Pacto estaba en el Lugar Santísimo y contenía los Diez Mandamientos. La tapa se llamaba "el propiciatorio" y representaba la misericordia de Jesucristo.

II. EL CAMINO HACIA DIOS ES A TRAVÉS DEL SACRIFICIO (LEVÍTICO 1–16).

Levítico 1–16 registra las instrucciones para la vida religiosa de los israelitas, las formas como se iba a utilizar el Tabernáculo, las tareas de los sacerdotes y las instrucciones para: la adoración, las celebraciones y los sacrificios.

A. Los cinco tipos de sacrificios para los israelitas antes de Cristo fueron:

Voluntarios

   1. Ofrenda de HOLOCAUSTO

   2. Ofrenda de GRANO

   3. Ofrenda de PAZ

Obligatorios

   4. Ofrenda por el PECADO

   5. Ofrenda de la CULPA

B. Hoy, Jesús es nuestro sacrificio. Juan 14:6 dice: "Yo soy el camino, la verdad y la vida, nadie llega al Padre sino por Mí".

III. **EL CAMINAR CON DIOS DEMANDA LA SANTIDAD (LEVÍTICO 17-27).**

Levítico 17–27 registra las leyes para una vida de santidad para los israelitas.

A. Levítico 11:44 dice: "santifíquense y manténganse santos, porque Yo soy santo."

B. En el libro de Levítico aparece el concepto de la santidad ochenta y cuatro veces.

C. Levítico 23 da las instrucciones sobre los días festivos y las fiestas a celebrar para que los israelitas recordaran lo que Dios había hecho por ellos.

D. Israel sería un ejemplo para las otras naciones de los beneficios y las bendiciones de vivir una vida santa en comunión con un Dios santo.

APLICACIÓN

Debemos ser ejemplo para aquellos que nos rodean, al vivir en santidad y comunión con Dios. La gente verá en nosotros una diferencia, si es que hay una diferencia para ver.

LEVÍTICO
[El Libro de la Santidad]

APRENDIENDO PARA LA VIDA

1. Comenzando en Génesis, desarrolle las bases para el libro de Levítico. (trabajo de grupo).

2. ¿Por qué requiere Dios un sacrificio de sangre?

3. ¿Por qué cree usted que Dios quería que el pueblo presenciara la muerte del animal sacrificado?

   a. ¿Qué diferencia haría esto para usted?

   b. ¿Qué dice esto sobre la actitud de Dios hacia el pecado?

4. El sacrificio es un tema frecuente en Levítico. ¿Existe alguna conexión en el Nuevo Testamento con este tema? (Vea Hebreos 10:11-14)

5. Hay varias fiestas y celebraciones en Levítico. ¿Qué revelan estas acerca de Dios?

6. ¿Toma usted su pecado tan en serio como Dios lo toma? Explique su respuesta.

LEVÍTICO
[El Libro de la Santidad]

DÍA UNO

LECTURA COMPLETA: Capítulos 1-5
LECTURA RÁPIDA: Capítulo 1

LA ILUSTRACIÓN PRINCIPAL

Durante el año 63 al 64, a sólo unos pocos años de su martirio durante las persecuciones de Nerón, el apóstol Pedro escribió estas palabras en 1 Pedro 1:14-16: "Como hijos obedientes, no se amolden a los malos deseos que tenían antes, cuando vivían en la ignorancia. Más bien, sean ustedes santos en todo lo que hagan, como también es santo el que los llamó; pues está escrito: 'SEAN SANTOS, PORQUE YO SOY SANTO'."

En estos versículos, Pedro cita lo que era hasta ese momento un libro de 1,500 años de antigüedad (el libro de Levítico), el cual tiene hoy alrededor de 3,500 años. Y debido a su tema complejo, sentimos la tentación de relegar su utilidad a la antigüedad. Pero si leemos Éxodo, omitiendo Levítico y pasando directo a Números, lo haríamos en perjuicio de nosotros mismos, porque su mensaje es crucial para nuestro caminar con Dios.

Se trata de santidad. Santidad en el sentido *inicial* de alejarse de la ignorancia de nuestra conformidad previa a nuestros deseos; y santidad, en el sentido *progresivo* de moldear contínua y consistentemente nuestro comportamiento a la imagen de Dios: "Sean santos, porque Yo soy Santo" este es el tema del libro de Levítico.

DATO
La palabra *Levítico* significa "perteneciente a los Levitas". Los Levitas son mencionados sólo cuatro veces, pero los sacerdotes que son mencionados frecuentemente eran un segmento de los Levitas.

El verdadero ideal del cristiano no es ser feliz, sino ser santo.
—A.W. TOZER, autor y teólogo del siglo veinte

La siguiente tabla muestra la Ilustración Principal del libro.

CAPÍTULOS 1-16	CAPÍTULOS 17-27
Como ACERCARSE a un Dios Santo	Como CAMINAR con un Dios Santo
Énfasis: 5 Ofrendas	Énfasis: 7 Fiestas
Sacrificio	Santificación
"Yo soy Santo"	"Ustedes sean, pues, Santos"

El Tabernáculo se terminó al final del libro de Éxodo, así, Dios tenía un lugar en especial para Su manifestación y presencia; y el pueblo tenía un lugar para acercase a su Dios. El libro de Levítico describe el funcionamiento interno de este lugar y la manera apropiada para que el pueblo se acercara a Dios.

La primera sección se centra en los sacrificios para ser ofrecidos a Dios porque: "sin derramamiento de sangre no hay perdón" (Hebreos 9:22). La segunda sección describe con más detalle qué significado tiene en el pueblo de Dios ser santificado, para ser santo. La palabra *santificación* significa literalmente: "ser puesto aparte, separado, único". El pueblo de Dios no debía ser como los otros pueblos, sino que debía ser único en su relación con Dios y en su conducta para con Él. Quién Él era (santo y separado) definiría quienes ellos serían. El concepto de santidad se menciona ochenta y siete veces en el libro. ¡Usted no podrá ignorarlo!

No hay verdadera santidad sin humildad.
—THOMAS FULLER, clérigo e historiador del siglo diecisiete

Levítico no provee ninguna variación cronológica. Su revelación fue recibida en un periodo de aproximadamente un mes. Como con los otros libros del Pentateuco, Moisés es su autor; lo más probable es que fue escrito alrededor del año 1440 a.C. y editado antes de su muerte cuarenta años después.

Como veremos, Levítico prefigura a Cristo página por página. Gran parte del libro de Hebreos sería oscuro en su significado si no se refiriera al libro de Levítico; Cristo cumplió y completó los sacrificios, las fiestas y el sacerdocio que se describen en este libro.

Pase un tiempo meditando y memorizando el versículo para esta semana. ¿Cómo describiría usted la santidad de Dios?

> *Usted debe ser santo en la forma que Dios le pide que sea santo. Dios no le pide que sea un monje trapense o ermitaño; Él quiere que usted santifique al mundo y a su vida cotidiana.*
>
> —Vincent Pallotti, predicador italiano del siglo diecinueve

Versículo para Memorizar

Sean, pues, santos, porque yo soy santo.

Levítico 11:45

¡REPASE ESTO!
El tema de Levítico es: sean, pues, santos, porque yo soy santo.

LEVÍTICO
[El Libro de la Santidad]

REFLEXIÓN
La palabra expiación se
encuentra cuarenta y
cinco veces en el libro
de Levítico.

DÍA DOS

LECTURA COMPLETA: Capítulos 6-11
LECTURA RÁPIDA: Capítulo 16

UN CAPÍTULO CRUCIAL

El crimen tuvo lugar en una habitación de una casa-escuela en la montaña. El maestro estaba decidido a descubrir quien había tomado el almuerzo de Sally Jane; cuando todos escucharon un sollozo, era Billy (delgado, desnutrido, el más pobre de los niños pobres); "tenía hambre" explicó a través de sus lágrimas. El maestro reconoció la necesidad de Billy por la comida pero aún así insistió que se le diera el castigo. El profesor alcanzó la correa de piel colgada en la pared y Billy acercándose al frente del salón se quitó la camisa; justo cuando el maestro estaba listo para aplicar el castigo; una voz ronca gritó desde la parte trasera de la sala: "¡Un momento maestro!" Jim "El grande" se acercó al frente del salón, quitándose su camisa y rogándole dijo: "Déjeme tomar sus azotes"[1].

Esta historia ilustra la verdad de nuestro Capítulo Crucial, Levítico 16. La escena es en el Día de la Expiación, el día diez del mes Tishrei (en nuestro calendario es de mediados de septiembre hasta mediados de octubre), sabemos que es el Yom Kipur.

En este gran Día de la Expiación celebrado cinco días antes de la Fiesta de los Tabernáculos, el sumo sacerdote entraba al Lugar Santísimo para expiar por sus propios pecados y por los pecados del pueblo. Este era el único día del año en el que el sumo sacerdote podía entrar a la presencia de Dios dentro del Lugar Santísimo. Era el día más importante en el calendario de los israelitas.

La conservación de sí mismo es el instinto más fuerte del hombre; el llamado más alto de la gracia, es el sacrificio propio.

—PAUL FROST, autor

La palabra "*expiación*" significa "cubrir, hacer reconciliación, cancelar" denota una transacción material, una compensación que tiene como resultado la cancelación del pecado por Dios.

Lea Levítico 16 y preste atención a los preparativos requeridos para este día.

Los versículos 11–14 describen el proceso que Aarón, el sumo sacerdote, tenía que seguir para hacer la expiación para sí mismo. Enumere las características principales de este procedimiento.

En los versículos 15–19 otras expiaciones son descritas, todas tienen que ver con el pueblo. Pero luego en los versículos 20–22, ocurre el clímax del Día de la Expiación. Describa ¿qué sucede en estos versículos?

El fundamento del sacrificio es que escogemos hacer o sufrir aquello que aparte de por amor, no deberíamos escoger hacer o sufrir.

—WILLIAM TEMPLE, teólogo anglicano y arzobispo de York (1929-1942)

Observe las sustituciones involucradas en todo el evento: El novillo en lugar de Aarón, los machos cabríos en lugar del pueblo, al igual que Jim el grande en lugar de Billy el pequeño.

Así mismo, no es difícil ver a la persona y obra de Jesucristo, ya que Él no solamente vino a ser nuestro Sumo Sacerdote, sino también, el sacrificio que el sumo sacerdote ofrecía. Observe las siguientes comparaciones.

LEVÍTICO 16	JESUCRISTO
El Sumo sacerdote en el Lugar Santísimo	Cristo en la misma presencia de Dios
El Sumo sacerdote en el Lugar Santísimo con la sangre de los animales	Cristo en la misma presencia de Dios por Su propia sangre
El Sumo sacerdote en el Lugar Santísimo una vez al año	Cristo en la misma presencia de Dios una vez y para siempre
El Sumo sacerdote no podía limpiar las conciencias perfectamente	Cristo pudo limpiar las conciencias perfectamente
Este evento fue una mera copia	Este evento fue real
El chivo expiatorio apartó los pecados	Cristo apartó nuestros pecados

Mire la última comparación nuevamente. Los pecados del pueblo fueron puestos en la cabeza del chivo expiatorio y fueron "echados fuera" hacia el desierto, de manera interesante, en el Nuevo Testamento, la palabra perdón significa "enviar afuera". Jesucristo vino a ser nuestro chivo expiatorio y fue enviado afuera con nuestros pecados, así nos proporcionó el perdón y la reconciliación con Dios.

Teniendo en mente esta imagen pase algún tiempo agradeciendo a Dios por lo que Él en Su gracia inmensurable ha hecho por nosotros.

VERSÍCULO PARA MEMORIZAR

Sean, pues, santos, porque yo soy santo.

LEVÍTICO 11:45

¡REPASE ESTO!
Levítico 16 es un Capítulo Crucial que describe el Día anual de la Expiación, el día más importante en el calendario judío.

LEVÍTICO
[El Libro de la Santidad]

DÍA TRES

LECTURA COMPLETA: Capítulos 12-17
LECTURA RÁPIDA: Capítulos 2-3

LA CARACTERÍSTICA DESTACABLE NÚMERO 1

Esta semana en lugar de elegir un Personaje Importante, estudiaremos dos Características Destacables.

Imagine un israelita devoto quien ha robado una oveja de su vecino, él ha regresado la oveja a su dueño pero ahora siente que necesita el perdón de Dios. Para una ofensa de esta naturaleza, él debe pagar *un sacrificio de culpa* (Levítico 5:14 - 6:7). Él lo hace y recibe el perdón de Dios. Pero todavía siente un gran peso de conciencia, esta vez no por el pecado, sino porque él reconoce que es un pecador de corazón. Pagará una *ofrenda por el pecado* que lo alivia a él de esta culpa (4:1 – 5:13). Sin embargo, él aún siente que algo está faltando, se siente perdonado, pero, percibe una distancia entre él mismo y Dios; el sacerdote le aconseja pagar una *ofrenda de paz* (3:1-17), no para obtener una sensación adicional de perdón, sino para sentir un restablecimiento de su comunión con Dios. Al hacerlo, él se siente mucho mejor.

Unos días más tarde se encuentra meditando en Dios, en Su perdón magnánimo hacia él y en su comunión con Dios y su corazón esta rebozando de gratitud hacia Dios, él quiere mostrar de manera concreta su acción de gracias a Dios, entonces, paga *una ofrenda de grano* (2:1-16) derramando la gratitud de su corazón, reflexionando lo mucho que Dios ha hecho por él y lo mucho que él ama a Dios, que anhela entregarse completamente a Él en la medida que su capacidad le permita hacerlo. De nuevo,

El hábito de la comunión devota con Dios es la fuente de toda nuestra vida y la fortaleza de ésta.
—H.E. MANNING, clérigo católico del siglo diecinueve

DATO
Los sacrificios del
pueblo eran una fuente
importante de alimento
para los sacerdotes.

él desea más que palabras, entonces, viene al sacerdote con una *ofrenda de holocausto* (1:1-17), simbolizando un corazón que dice: "Todo lo que yo soy y tengo es tuyo, Dios."[2]

Las primeras dos ofrendas (culpa y pecado) eran *obligatorias*. El israelita venía como un pecador condenado. El propósito era restaurar su comunión con Dios. Las ultimas tres ofrendas (paz, grano y holocausto) eran *voluntarias*. El hombre venía espontáneamente para mantener una comunión con Dios. La siguiente tabla resume estas ofrendas y brevemente describe cómo cada ofrenda prefiguraba a Jesucristo.

OFRENDA	REF.	PROPÓSITO	PREFIGURA A JESUCRISTO
CULPA	5:14-6:7	Por el pecado	Como expiación por el daño de pecados específicos
PECADO	4:1-5:13	Por el pecado	Como muerte substituta por el pecador
PAZ	3:1-17	Por comunión	Como procurando la paz entre Dios y los pecadores
GRANO	2:1-16	Por agradecimiento	Como ofrenda de una vida perfecta para Dios
HOLOCAUSTO	1:1-17	Por compromiso	Como ofrenda de la muerte de una vida totalmente dedicada a Dios

Estas ofrendas son una Característica Destacable del libro de Levítico. Para los israelitas, éstas fueron las puertas para acercarse a Dios. Elija una ofrenda y lea los pasajes apropiados que la describen. ¿Qué le impresionó o impactó de lo que ha leído?

Después de la santidad, después de una devoción constante a Ti, después de un crecimiento en la gracia más abundante, ayuda a mi alma a respirar cada día.[3]

El propósito básico de un sacrificio o de una ofrenda es el de acercarse a Dios, así en un sentido muy real, nosotros podemos continuar dando ofrenda a Dios en armonía con nuestra propia necesidad en un momento dado. Pensando en el sacrificio de esta manera nos ayuda a darle sentido a frases como: "Así que ofrezcamos continuamente a Dios por medio de Jesucristo, un sacrificio de alabanza, es decir, el fruto de los labios que confiesan su nombre." (Hebreos 13:15) ¿Ésta, a cuál de las ofrendas se parece más?

Al contemplar estas ofrendas y la prefiguración de Cristo que ellas representan, piense acerca de sus necesidades en este momento. ¿Qué ofrenda necesita usted traerle a Él en una oración de su corazón? Tome ahora mismo un momento para hacerlo.

> *La adoración, entonces, no es una parte de la vida cristiana, es la vida cristiana.*
>
> —GERALD VANN, predicador del siglo veinte, maestro y autor

¡REPASE ESTO!
Una Característica Destacable del libro de Levítico es la descripción de las cinco ofrendas como diferentes formas para acercarse a Dios, de acuerdo con la necesidad por la cual una persona estaba dando la ofrenda.

VERSÍCULO PARA MEMORIZAR

Sean, pues, santos, porque yo soy santo.

LEVÍTICO 11:45

L EVÍTICO
[El Libro de la Santidad]

¿SABÍA USTED?
Todos los hombres
adultos estaban
obligados a asistir a un
mínimo de tres fiestas
especiales en el año.

DÍA CUATRO

LECTURA COMPLETA: Capítulos 18-23
LECTURA RÁPIDA: Capítulo 23

LA CARACTERÍSTICA DESTACABLE NÚMERO 2

Los días festivos, aquellos que ocurren durante todo el año y por diferentes razones, ¡Nos encantan! Y son muy esperados. Tomamos el día libre en el trabajo, dormimos hasta tarde, tomamos ventaja de algún fin de semana largo para salir o llevar a cabo algún proyecto, pasamos tiempo con la familia y amigos, revoloteando, relajándonos y pasándola bien. Estos en los que volvemos a las tradiciones significativas tales como: la Navidad, la Pascua y aún el Día de Acción de Gracias, repitiéndolas año tras año y en algunos de estos días festivos nos concentramos en Dios y en lo que Él ha hecho en el pasado.

Los israelitas tenían sus propios días festivos, a los que llamaban: festivales o fiestas. Para ellos, una fiesta era una designación divina para la adoración colectiva y ocurría en momentos específicos y de manera obligatoria. Fueron diseñadas para periódica y regularmente llamar la atención del pueblo, alejarlos de sus propios problemas y preocupaciones y para que se volvieran al conocimiento de su Dios todo suficiente y glorioso. La descripción de estas fiestas es nuestra segunda Característica Destacable en Levítico.

El cuadro siguiente muestra un resumen breve de estas fiestas.

Lo que no tiene períodos de descanso, no durará.

—OVIDIO, poeta romano (año 43 a.C. – d.C. 18)

Fiesta	Fecha	Ref.	Propósito	Prefigura
LA PASCUA	1er mes día 14to	23:5	Celebra la liberación de Egipto	Cristo nuestro Cordero Pascual
LOS PANES SIN LEVADURA	1er mes dia 15to-21ro	23:6-8	Representa la santidad de la vida	Viviendo una vida santa
PRIMICIAS	1er mes día 16to	23:9-14	Celebra la primera gavilla de la cebada	Resurrección de Cristo
PENTECOSTES (DE LAS SEMANAS)	3er mes día 6to	23:15-21	Celebra la finalización de la cosecha de trigo	Enviando al Espíritu Santo
LAS TROMPETAS	7mo mes día 1ro	23:23-25	Marca el inicio del Año Nuevo (civil) y el acercamiento para el Día de la Expiación	Recogimiento de Israel
DÍA DE LA EXPIACIÓN	7mo mes día 10mo	23:26-32	Sacrificio anual por el pecado a cargo del sumo sacerdote	Cristo nuestro Sumo Sacerdote
LOS TABERNÁCULOS (LAS ENRAMADAS)	7mo mes dia 15to-21ro	23:33-44	Celebra la finalización de la cosecha y la fidelidad de Dios durante su peregrinaje por el desierto	El descanso milenario de Israel

Entender a profundidad cada una de estas fiestas requeriría horas de estudio. Por ahora, lea Levítico 23:6-8, el cual describe la Fiesta de Los Panes sin Levadura. También lea Éxodo 12:15-20, el cual describe la misma fiesta, en la noche de su inauguración. Brevemente describa qué aprendió acerca de estas actividades, su propósito y significado.

Incluso una vista superficial de las fiestas y los festivales judíos nos muestra mucho de su propósito y significado. Enumere las razones que usted piensa acerca de ¿Por qué Dios diseñó esta clase de rutina anual para Su pueblo escogido?

¿Sí se celebraban apropiadamente, qué podía el típico israelita ganar de estas experiencias tradicionales?

¿Tiene usted algún nuevo pensamiento sobre la celebración de nuestros días festivos, especialmente los que tienen una influencia directa sobre nuestra relación con Dios? Sí es así, ¿Cuál?

¡REPASE ESTO!
La segunda Característica Destacable del libro es una descripción de las siete fiestas mencionadas en el Capítulo 23.

VERSÍCULO PARA MEMORIZAR

Sean, pues, santos, porque yo soy santo.

LEVÍTICO 11:45

LEVÍTICO
[El Libro de la Santidad]

DÍA CINCO

Lectura Completa: Capítulos 24-27
Lectura Rápida: Capítulo 26

RECUERDE
El concepto de santidad
aparece ochenta y siete
veces en el libro de
Levítico.

Un Principio Eterno

J.I. Packer escribió:

> Son casi sesenta años desde que yo aprendí en la escuela
> el primer verso de un poema de Rudyard Kipling, que
> dice así:

> Hace setenta años
> cerraron el camino que atraviesa el bosque.
> El clima y la lluvia lo han deshecho de nuevo
> y ahora usted nunca sabrá
> que hubo una vez, un camino por el bosque.[5]

Packer continua: "Una y otra vez, cuando me encuentro de luto
por la pérdida de una cosa buena . . . El verso de Kipling viene
a mi mente y me obsesiona. Éste me viene ahora al contemplar
en la iglesia actual la pérdida de la verdad bíblica acerca de la
santidad"[6].

La situación que Packer describe no siempre ha sido el caso. Los
puritanos insistían que el todo de la vida era la santidad para el
Señor. El objetivo de John Wesley al concebir el Metodismo, era
el de "difundir la santidad bíblica por toda la tierra"[8]. Y como
hemos visto, mucho atrás en el libro de Levítico, la santidad era
el sueño de Dios para su pueblo. La santidad es verdaderamente
un Principio Eterno.

*Enséñame a que yo
no viva una vida que
me satisfaga a mí
mismo, sino que yo
viva una vida que te
satisfaga a Ti.*[7]

Los sacrificios de
olor fragante fueron
las ofrendas a favor
de la comunión y el
compromiso, mientras
que, los sacrificios
malolientes fueron las
ofrendas a causa del
pecado.

Lea los siguientes versículos, todos se refieren al tema "Sean, pues, santos" y enumere los diferentes componentes que encuentre ahí: Levítico 11:44-45; 19:2; 20:7,26.

Todo lo que hemos estudiado en el libro de Levítico fue diseñado por Dios para producir y promover la santidad en la adoración y en la vida de Su pueblo: El Día de la Expiación con su perdón, los sacrificios con sus diferentes propósitos y las maneras de acercarse a Dios, las fiestas con su llamado constante para recordar a Dios todo el año y por toda la vida. Dios usó cada uno de estos mecanismos para formar un pueblo que sería: santo, separado, único y puesto aparte *del* mundo *para* Él. Su pueblo necesitaba cada recordatorio y motivación que Dios pudiera darle. Y nosotros no somos diferentes.

Mas adelante en su libro, Packer nos presenta una imagen conmovedora:

> En términos morales y espirituales, todos somos inválidos en el hospital de Dios. Todos estamos enfermos, adoloridos, dañados, afectados, deformes, con cicatrices, lisiados, desequilibrados, ahora mismo y en una medida mayor a la que ni siquiera podemos imaginar. Bajo el cuidado de Dios, estamos mejorando, pero todavía no estamos bien. A los cristianos modernos, les gusta pensar en las bendiciones presentes en lugar de las perspectivas en el futuro. Se motivan unos a otros a testificar que, una vez fueron ciegos, sordos e incluso muertos en lo que a Dios se refería y que ahora, por medio de Cristo, han sido traídos a la vida, radicalmente transformados y bendecidos con salud espiritual. Gracias a Dios, hay

Señor, esta es la vida que ningún inconverso puede vivir, sin embargo, el fin que cada alma piadosa persigue es: apegarse a ti. Que sea entonces mi inquietud, el dedicarme totalmente a Ti.[9]

una verdad en esto, pero la salud espiritual significa ser santo e íntegro y en la medida que quedemos cortos en ser santos e íntegros, igualmente no estamos totalmente sanos. Necesitamos darnos cuenta que el testimonio que damos de salud espiritual es sólo parcial y relativo, es cuestión de que ahora estamos menos enfermos y menos incapacitados de lo que estábamos antes. Medidos por el estándar absoluto de la salud espiritual que vemos en Jesucristo, todos somos ni más ni menos que inválidos en proceso de curación. Nuestra vida espiritual es una frágil convalecencia, muy fácil de detener.[10]

¿Cuáles son sus pensamientos acerca de la declaración de Packer?

¿SABÍA USTED?
La ofrenda del holocausto era la única en que todo el animal era consumido, significando dedicación total a Dios. Antes de ofrecer el sacrificio, el adorador ponía su mano sobre la ofrenda, identificándose él mismo completamente con el sacrificio.

Como usted lo entienda, describa lo que es la santidad para los seguidores de Cristo.

Tu nombre es amor, en amor recibe mi oración. Mis pecados son más que las arenas del ancho mar, pero en donde abunda el pecado, ahí sobreabunda más la gracia.
—Oración de un puritano en *El Valle de la Visión*[11]

Honestamente delante de Dios, escriba una oración evaluando

su propia santidad. Asegúrese de incluir una "ofrenda de grano" (gratitud) por aquellas áreas en donde Él ha estado produciendo "verdadera santificación" en su vida.

En Él, la esclavitud encuentra la redención, el culpable el perdón, el impío la renovación. En Él hay fortaleza eterna para los débiles, riquezas incalculables para los necesitados, tesoros de la sabiduría y conocimiento para los ignorantes y plenitud para los vacíos.

—Oración de un puritano

Versículo para Memorizar

Sean, pues, santos, porque yo soy santo.

LEVÍTICO 11:45

LEVÍTICO
[El Libro de la Santidad]

REPASO

1. El tema de Levítico es: Sean, pues, _____, porque yo soy santo.

2. Levítico 16 es un Capítulo Crucial que describe el Día anual de la _____, el día más importante en el calendario judío.

3. Una Característica Destacable del libro de Levítico es la descripción de las cinco _____ como diferentes formas para acercarse a Dios, de acuerdo con la necesidad por la cual una persona estaba dando la ofrenda.

4. La segunda Característica Destacable del libro es una descripción de las siete _____ mencionadas en el Capítulo 23.

5. "Sean, pues, _____, porque yo soy santo".

LEVÍTICO II: _____

NÚMEROS

[El Libro de la Incredulidad]

Que aunque vieron mi gloria y las maravillas . . .

ninguno de los que me desobedecieron . . . verá jamás

la tierra que, bajo juramento, prometí dar a sus padres.

NÚMEROS 14:22-23

CUATRO

NÚMEROS
[El Libro de la Incredulidad]

INTRODUCCIÓN

Para los israelitas, la estadía por un año en el Monte Sinaí, se había terminado. Dios los comenzó a guiar hacia la tierra que Él les había prometido. Ahora ellos eran una nación bien organizada: con leyes para gobernar el comportamiento, sacerdotes para guiar la adoración, un líder competente y un Dios poderoso que moraba entre ellos.

Sin embargo, cuando sus espías alcanzaron la frontera de la Tierra Prometida, vieron el tamaño y el poder de sus enemigos y perdieron el valor para entrar a la tierra. Debido a su rebelión y falta de confianza en Dios, una generación perdió el privilegio de entrar en esta tierra buena. Lamentablemente, el pueblo peregrinó en el desierto por 40 años hasta que esta generación entera murió.

El libro de Números describe a Dios como un ser bondadoso, pero justo. Él desea guiarle a un buen lugar, pero usted debe estar dispuesto a seguirlo, a confiar en Él y a obedecerlo.

NÚMEROS
[*El Libro de la Incredulidad*]

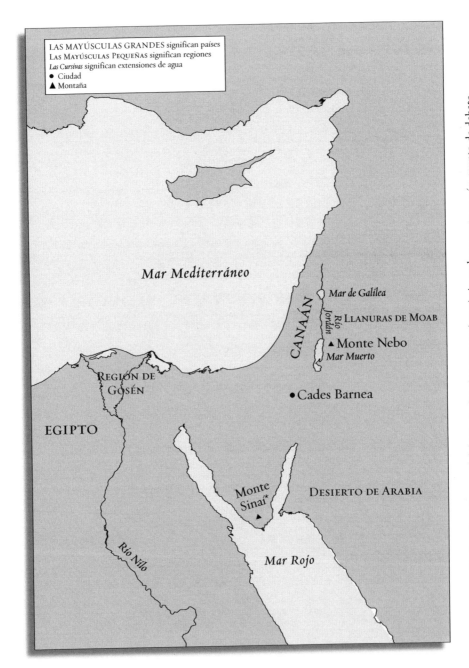

LAS MAYÚSCULAS GRANDES significan países
Las Mayúsculas Pequeñas significan regiones
Las Cursivas significan extensiones de agua
● Ciudad
▲ Montaña

Mar Mediterráneo

CANAÁN

Mar de Galilea

Río Jordán

Llanuras de Moab

▲ Monte Nebo

Mar Muerto

● Cades Barnea

Región de Gosén

EGIPTO

Monte Sinaí*

Desierto de Arabia

Río Nilo

Mar Rojo

*La localización actual del Monte Sinaí se cree está aquí, sin embargo esto es aún asunto de debate.

NÚMEROS
[El Libro de la Incredulidad]

RESUMEN

¿Quién?	Autor: Moisés
	Personajes Principales: Josué y Caleb
¿Qué?	La peregrinación en el desierto a causa de la incredulidad
¿Cuándo?	de 1444 a 1404 a.C.
¿Dónde?	El Monte Sinaí; el desierto, Cades Barnea, las Llanuras de Moab
¿Por Qué?	A causa de la incredulidad y la rebelión de los israelitas contra Dios, Él no permitió que una generación entera entrara a la Tierra Prometida. El peregrinaje en el desierto por cuarenta años

I. DIOS PREPARÓ A LOS ISRAELITAS PARA ENTRAR A LA TIERRA PROMETIDA (NÚMEROS 1-10).

   A. Un CENSO fue tomado.

      1. Este permitió que el pueblo supiera el NÚMERO de hombres disponibles para el combate.

      2. El ESTANDARTE identificaba a cada tribu.

      3. Las tribus fueron ORGANIZADAS como Dios lo ordenó.

      4. La comunicación en los campamentos era por medio de las TROMPETAS.

   B. La LIMPIEZA del campamento

      1. Los sacerdotes fueron ordenados.

      2. El Tabernáculo fue purificado.

      3. Los enfermos fueron expulsados del campamento.

   C. La COMUNIÓN con Dios

      1. Se celebró la Pascua.

II. Dios <u>Impidió</u> que los Israelitas entraran a la Tierra Prometida (Números 11-21).

  A. Ellos se quejaron de la <u>Comida</u>.

  B. Ellos se quejaron del <u>Liderazgo</u>.

  C. Ellos se llenaron de rebeldía y no quisieron entrar a la Tierra Prometida.

   1. Dios los castigó, haciendo que la generación rebelde peregrinara en el desierto por cuarenta años hasta que toda esta generación había muerto, excepto Josué y Caleb.

   2. Y aún durante la disciplina, Dios proveyó todas sus necesidades.

III. Dios <u>Preparó</u> a la generación nueva de Israelitas para entrar a la Tierra Prometida (Números 22-36).

  A. Otro <u>Censo</u> fue tomado y el número de hombres para el combate había disminuido.

  B. Ellos <u>Limpiaron</u> el campamento.

  C. Ellos restablecieron la <u>Comunión</u> con Dios.

Aplicación

Quienes confían en Dios encontrarán tranquilidad. La falta de confianza causa el desasosiego.

NÚMEROS
[El Libro de la Incredulidad]

APRENDIENDO PARA LA VIDA

1. Empezando con Génesis, desarrolle las bases para el libro de Números (trabajo de grupo).

2. ¿Por qué dirigió Dios a el pueblo para que realizara un censo al principio del libro, y qué efecto piensa que tuvo esto sobre el pueblo?

3. ¿El castigo que dio Dios a su pueblo, que revela sobre Él?

4. ¿Cuáles son algunas maneras en que el miedo nos impide disfrutar de la vida en abundancia prometida por Dios en Juan 10:10?

5. ¿Cuáles son algunos de los "gigantes" que enfrenta usted hoy?

NÚMEROS
[El Libro de la Incredulidad]

DÍA UNO

LECTURA COMPLETA: Capítulos 1-8
LECTURA RÁPIDA: Capítulo 6

LA ILUSTRACIÓN PRINCIPAL

Alcanzar la madurez es a menudo un proceso doloroso. Ya sea en el caso de un adolescente o en el de una nación. Nuevas libertades traen nuevas responsabilidades. El libro de Números es la historia de cómo los israelitas, quienes se habían frustrado bajo el imperioso reinado del Faraón, pasaron su resentimiento a la autoridad, primero a Moisés y finalmente a Dios mismo. Los nuevos límites de la ley divina a veces eran tan molestos como las imposiciones arbitrarias de la esclavitud. Las responsabilidades de un pueblo libre eran a veces más de lo que Israel podía realizar. Pero a pesar de todo, Dios estaba obrando, moldeando un pueblo para Él mismo.

—DAVID KERR [2]

No todos los que deambulan están perdidos.

—J. R. R. TOLKIEN, profesor inglés y autor[1]

La paciencia de Dios y de Moisés en el libro de Números podría ser un estudio en sí mismo. Lea sus páginas y encontrará interminables quejas, murmuraciones y falta de fe por parte del pueblo. De hecho, un acto mayor de falta de fe en Números 13 y 14 determina la naturaleza del libro y de los siguientes cuarenta años para la nación. Mañana estudiaremos estos capítulos como nuestros Capítulos Cruciales.

Si bien el nombre del libro procede de los dos censos hechos al pueblo en los capítulos 1 y 26, la historia principal del libro es el traslado de los israelitas del Monte Sinaí a la Tierra Prometida.

¡Éste debería haber sido un viaje rápido!, pero debido a un acto de falta de fe y desobediencia, los israelitas ¡pasaron cuarenta años peregrinando antes de llegar! Por eso, el nombre hebreo para el libro, que significa "en el desierto", describe mejor lo que se registró en éste.

Sin duda, al igual que con los libros de Éxodo y Levítico, Moisés mantuvo registros de lo que estaba sucediendo y así, en algún momento antes de su muerte, escribió el libro como lo conocemos hoy.

El libro de Levítico no proporcionó ningún desplazamiento geográfico y muy poca variación cronológica. Por el contrario, el libro de Números da seguimiento a los israelitas durante cuarenta años y a través de cientos de kilómetros de peregrinaje. A causa de la falta de fe por parte del pueblo, se le quitó el premio de la Tierra Prometida a la generación antigua, y fue dado a la nueva, pero sólo después de que la generación Antigua había muerto.

El resumen del desarrollo del libro nos lo proporciona el siguiente cuadro:

1:1 10:10	10:11 21:35	22:1 36:13
En el Monte Sinaí	En el Desierto	En las Llanuras de Moab
La Generación Antigua	La Generación Antigua	La Generación Nueva
Preparados para Entrar a la Tierra	Imposibilitados para Entrar a la Tierra	Preparados para Entrar a la Tierra
Unas Pocas Semanas	Alrededor de 38 Años	Pocos Meses

El libro de Números es un libro muy humano. Abundan la frustración, la decepción, la queja, la acusación, la murmuración, la rebelión y la falta de fe. Pero también se encuentran dosis abundantes de confesión, perdón, respeto, lealtad, fe y sumisión. Todos reconocemos partes de nosotros mismos en esta historia. ¿La mejor noticia del libro? A pesar de todo, Dios nunca dejó de obrar para llevar a cabo Su plan y Él nunca dejó de formar a Su pueblo en lo que Él quería que ellos fueran y en lo que Él sabía ellos podrían convertirse.

¡INTERESANTE!
Un suceso de Números fue usado en Juan 3:14 con relación a Jesucristo.

Nuestra confianza en Cristo no nos hace perezosos, negligentes o descuidados, sino al contrario, nos convierte en seres activos viviendo vidas justas y haciendo el bien. No hay ninguna confianza en nosotros mismos que se compare con esto.

—ULRICH ZWINGU, religioso y reformador protestante suizo

Al leer el libro de Números, considere la posibilidad de mantener una lista con la mayor cantidad de rasgos de carácter positivo y negativo que usted pueda encontrar. Puede ser un reto y una motivación, el que frecuentemente nos identifiquemos personalmente con algunos de los rasgos vividos en estas páginas.

Sus palabras son lazos.
—WILLIAM SHAKESPEARE,
poeta y escritor inglés
del siglo decimosexto

VERSÍCULO PARA MEMORIZAR

¡REPASE ESTO!
El tema de Números
es peregrinando en el
desierto a causa de la
falta de fe.

Que aunque vieron mi gloria y las maravillas . . . ninguno de los que me desobedecieron . . . verá jamás la tierra que, bajo juramento, prometí dar a sus padres.

NÚMEROS 14:22-23

NÚMEROS
[El Libro de la Incredulidad]

DÍA DOS

> LECTURA COMPLETA: Capítulos 9-19
> LECTURA RÁPIDA: Capítulos 13-14

LOS CAPÍTULOS CRUCIALES

Cuando miramos hacia atrás en nuestras vidas, a menudo reconocemos períodos de gran importancia o trascendencia, tiempos decisivos en nuestro viaje. Tal vez fueron tiempos de pruebas, de entrenamientos o de sequía espiritual. Tal vez fue un período de aprendizaje y asimilación de una verdad nueva. O quizás esta fue una temporada en la que Dios pareció revelar más que nunca su bondad y bendición.

Al comenzar el libro de Números, la nación de Israel acababa de salir de tal experiencia, un periodo significativo en la historia de su nación. Sin embargo, al observar sus vidas inmediatamente después, no podemos evitar el preguntarnos cuán significativo este tiempo realmente había sido para ellos. Un año como ningún otro en su historia, que no sólo fue decisivo para Israel sino que también para toda la raza humana. En ninguna otra época Dios había revelado tanto acerca de Sí mismo, de cómo quería Él ser adorado, y de cómo quería Él que su pueblo viviera. La combinación de leyes morales, civiles y ceremoniales dadas a ellos durante su estancia en el Monte Sinaí era asombrosa en su inmensidad, perfecta plenitud y excelencia. Israel era ciertamente un pueblo privilegiado.

En este contexto, el pecado y la falta de fe que aparecen en nuestros Capítulos Cruciales (su Lectura Rápida) presentan un fuerte contraste. Las experiencias registradas en los capítulos 13 y 14 tienen lugar en Cades Barnea sólo semanas después de la experiencia en el Monte Sinaí y retrasaron la entrada a la Tierra Prometida por casi cuarenta años.

En el capítulo 13 resuma muy brevemente lo que sucedió en Cades Barnea. Mencione los informes de la mayoría y de la minoría.

Describa con sus propias palabras lo que sucedió en el capítulo 14 con respecto a los siguientes eventos:

La respuesta del pueblo (versículos 1-4):

La sentencia para el pueblo (versículos 26-35):

La sentencia para la mayoría de los informantes (versículos 36-37):

La bendición para la minoría de los informantes (versículo 38):

La obstinación del pueblo (versículos 40-45):

EDIFICANTE
Una y otra vez, Moisés
estuvo entre Israel y
la destrucción total,
suplicando a Dios,
misericordia por el
comportamiento de
ellos (ver Éxodo 32:7-
14, Números 11:1-2;
16:41-48; 21:5-9).

¿Qué estaba incorrecto en la forma de pensar de aquellos que dieron el reporte de la mayoría?

Sobre el enemigo:

Sobre sí mismos:

Sobre Dios:

La fe como Pablo la veía, era algo vivo y ardiente que llevaba hacia la entrega y la obediencia a los mandamientos de Cristo.

—A. W. Tozer, escritor y teólogo del siglo veinte

¿Por qué cree que la disciplina de Dios fue tan severa?

La disciplina de Dios nunca es una experiencia agradable. ¿Puede indicar usted un momento en que sintió qué estaba siendo disciplinado por Dios? Si es así, ¿Cuándo? y ¿Qué pasó?

El Nuevo Testamento nos ayuda a comprender el corazón de Dios cuando Él nos disciplina. Lea Hebreos 12:3-11. ¿A usted cómo lo motiva esto?

¡REPASE ESTO! Los capítulos 13 y 14 son Capítulos Cruciales porque muestran cómo la incredulidad del pueblo retrasó por casi cuarenta años la entrada a la Tierra Prometida.

VERSÍCULO PARA MEMORIZAR

Que aunque vieron mi gloria y las maravillas . . . ninguno de los que me desobedecieron . . . verá jamás la tierra que, bajo juramento, prometí dar a sus padres.

NÚMEROS 14:22-23

NÚMEROS
[El Líbro de la Incredulidad]

DÍA TRES

Lectura Completa: Capítulos: 16-21
Lectura Rápida: Capítulo 20

Los Dos Personajes Importantes

Cuenta la historia que en un pueblo de Creta, una sequía en el invierno amenazaba los cultivos. El sacerdote le dijo a su rebaño: "No hay nada que nos salve, excepto una letanía especial para la lluvia. Vayan a sus casas, ayunen durante la semana, crean y vengan el domingo a la letanía para la lluvia". Los aldeanos lo oyeron, ayunaron durante la semana y regresaron a la iglesia el domingo por la mañana, pero tan pronto como el sacerdote los vio, se puso furioso. Él les dijo: "Váyanse, no voy a decir la letanía. Ustedes no creen". "Pero Padre", ellos protestaron, "nosotros ayunamos y creemos". "¿Creen?", respondió, ¿Y dónde están sus paraguas?"[3]

En Hebreos, Dios nos dice: "La fe es la garantía de lo que se espera, la certeza de lo que no se ve. Gracias a ella fueron aprobados los antiguos" (Hebreos 11:1-2). Hebreos 11 nos brinda una lista de héroes de la fe:

- Por la fe Abel ofreció a Dios un sacrificio más aceptable que el de Caín.

- Por la fe Noé construyó un arca.

- Por la fe Abraham ofreció a Isaac.

- Por la fe Moisés salió de Egipto.

- Por la fe, los israelitas cruzaron el Mar Rojo.

Y así tantos héroes de la fe.

SÓLO UN PENSAMIENTO
Para que toda la generación anterior muriera en cuarenta años, una persona tenía que haber muerto cada veinte minutos.

Convicción es una verdad guardada en la mente. Fe es un fuego en el corazón.

—Joseph Newton, biógrafo y clérigo del siglo veinte

Y en el libro de Números encontramos dos más y se puede decir de ellos: "Por la fe, Josué y Caleb dieron un informe minoritario impopular, y se mantuvieron firmes."

En nuestros Capítulos Cruciales (13 y 14), también encontramos a nuestros dos Personajes Importantes. Pero ya sabemos por nuestro estudio de ayer, que ellos ciertamente, no fueron capaces de superar a la mayoría con su reporte diario sobre esa tierra y su recomendación de las medidas a adoptar. Si lo hubieran hecho, la historia en el libro de Números hubiera sido muy distinta (y mucho más corta). Sin embargo, aún cuando fueron derrotados por el pueblo, ellos salieron victoriosos ante Dios. Al final, Dios convirtió su aparente derrota en una gran bendición personal, todo a causa de su deseo y determinación de vivir "La garantía de lo que se espera, la certeza de lo que no se ve."

Josué y Caleb, la minoría de los informantes, vieron exactamente lo mismo en la Tierra Prometida que los otros diez espías. Sin embargo, su respuesta fue muy diferente. Lea su informe en Números 13:30 y 14:6-9, luego lea los reportes de los otros diez espías, los informantes de la mayoría en: 13:27-29 y 13:31-33. En sus propias palabras, compare y contraste los dos informes.

Dios no dijo: usted no será atacado, no será golpeado, no será inquietado; lo que Dios dijo fue: usted no será vencido. Dios quiere que nosotros prestemos atención a sus palabras y que siempre seamos fuertes en nuestras convicciones, tanto en el bienestar como en el infortunio, porque Dios nos ama y se deleita en nosotros.

—JULIAN OF NORWICH, religioso místico del siglo catorce

¿Qué incluía el informe que hicieron Josué y Caleb y qué faltaba en el otro informe?

Según Números 14:10-12, ¿Cuáles eran los pensamientos de Dios sobre el asunto?

PIENSE ACERCA
DE ESTO
Sólo tres hombres de
la generación anterior,
Moisés, Josué y Caleb
sobrevivieron al final
del libro.

Lea Números 14:22-24 y 14:36-38 y contraste los resultados finales para los portadores de los dos informes.

Hebreos 11:6 dice: "Sin fe es imposible agradar a Dios". Dios nos da a todos experiencias "Cades Barnea" en las que nos pide que confiemos en Él al enfrentar lo que parecen ser grandes obstáculos, y opiniones firmes y contrarias. Su deseo es siempre forjar nuestra fe y proporcionar oportunidades para que podamos agradarle.

Describa un momento en el que enfrentó un "Cades Barnea" personal. ¿Fue su respuesta similar a la de Josué y Caleb, o a la de los otros diez espías?

*Qué es la fe, si no el
creer en lo que no
vemos.*

—San Agustín de Hipona,
obispo en
el norte de África del
siglo cuarto

¿Cómo contribuyó esa experiencia en su relación con Dios?

¡REPASE ESTO!
Josué y Caleb son los Personajes Importantes porque ellos estuvieron dispuestos a confiar en Dios aun cuando se enfrentaran con grandes obstáculos.

VERSÍCULO PARA MEMORIZAR

Que aunque vieron mi gloria y las maravillas . . . ninguno de los que me desobedecieron . . . verá jamás la tierra que, bajo juramento, prometí dar a sus padres.

NÚMEROS 14:22-23

NÚMEROS
[El Libro de la Incredulidad]

DÍA CUATRO

LECTURA COMPLETA: Capítulos 22-29
LECTURA RÁPIDA: Capítulos 22-24

DATO
Los dos censos tomados
con casi cuarenta
años de diferencia,
sólo variaron en 1,820
hombres: de 601,730 a
603,550.

UNA CARACTERÍSTICA DESTACABLE

Si conocer las respuestas para las preguntas de la vida
es absolutamente necesario para usted, entonces olvide
el viaje. Nunca lo logrará, porque éste es un viaje: a lo
desconocido, de preguntas sin respuestas, de enigmas, de
inexplicables y sobre todo, de injusticias.
—MADAME JEANNE GUYON

Con nuestra limitada perspectiva humana, sería fácil describir nuestra Característica Destacable como "Una injusticia".
Apenas unos meses antes de que Moisés realizara su sueño, de
completar los cuarenta años del evento del éxodo, llevando al
pueblo, a través del Río Jordán hasta la tierra de Canaán (La
Tierra Prometida), él fue descalificado. Dios le dijo a Moisés que
debido a su propio pecado, no se le permitiría completar el viaje
y que moriría antes de entrar a la tierra.

*ÉL es el SEÑOR; que
haga lo que mejor Le
parezca.*
—ELÍ, el sacerdote
(1 Samuel 3:18)

Al leer esto, queremos gritar "¡Injusto!" Después de todo lo que
él había soportado a la resentida muchedumbre de 2.5 millones
de personas. Después de todas las veces que había pedido a Dios
que fuera misericordioso con el pueblo a pesar de su falta de
respeto y rebelión en contra de Él. Después de toda su fidelidad para comunicar al pueblo lo que Dios le había revelado aun
cuando eran verdades duras y mensajes difíciles de escuchar.
Después de ser tomado por sorpresa por los miembros de su
propia familia que se rebelaron contra su liderazgo. Después de

todo eso, ¿Ahora esto?, ¡Injusto! Pero estos son pensamientos y sentimientos humanos. Y Dios nos ha dicho: "Porque mis pensamientos no son los de ustedes, ni sus caminos son los míos" (Isaías 55:8).

Lea la historia en Números 20:1-13 y describa la situación.

¿SABÍA USTED?
La ciudad de Corintios fue establecida en esta época.

Si usted fuera Moisés ó Aarón, ¿Qué hubiera sentido y pensado en los versículos 2-5, después de escuchar las quejas del pueblo?

¿Qué piensa usted que Moisés esperaba cuando fue a la entrada de la tienda de reunión y se postró sobre su rostro (versículo 6)?

La Fe es la premeditada confianza en el carácter de Dios, cuyos caminos no podemos entender en ese momento.
—Oswald Chambers[4]

Describa todos los componentes que ve sobre la conducta mala de Moisés en los versículos 9–11.

En el versículo 12, Dios dio a Moisés el motivo para su descalificación. ¿Cuál cree que es el significado de éste?

En Números 27:12-23, Dios inicia de nuevo una discusión con Moisés acerca de su descalificación para conducir al pueblo hacia la Tierra Prometida. ¿La reacción de Moisés hacia Dios, qué le dice acerca de él?

Basado en estos dos pasajes (Números 20:1-13; 27:12-23), ¿Qué pensamientos tiene usted acerca de?:

Moisés

Dios

Usted mismo

Ore lo que sea apropiado para usted mismo en este momento.

VERSÍCULO PARA MEMORIZAR

Que aunque vieron mi gloria y las maravillas . . . ninguno de los que me desobedecieron . . . verá jamás la tierra que, bajo juramento, prometí dar a sus padres.

NÚMEROS 14:22-23

NÚMEROS
[El Libro de la Incredulidad]

¡INTERESANTE!
En la organización
de las doce tribus en
el campamento de
Israel, Dios puso en
mayor proximidad a los
parientes más cercanos
entre sí. Las tribus
eran descendientes
de cuatro madres
diferentes, todas
esposas de Jacob.

*En donde usted tiene
soluciones absolutas,
es que no necesita de
la fe.*

—FLANNERY O'CONNOR,
escritor norteamericano
del siglo veinte

DÍA CINCO

LECTURA COMPLETA: Capítulos 30-36
LECTURA RÁPIDA: Capítulo 9:15-23

UN PRINCIPIO ETERNO

En un momento u otro todos nos preguntamos, "¿Qué quiere Dios que yo haga? ¿Cuál es la voluntad de Dios para mí en esta situación?" Y la mayoría de las veces, si pudiéramos entenderla, ¡no nos opondríamos! Simplemente, deseamos saberla. ¿Alguna vez usted ha deseado saber la voluntad de Dios, de la misma forma que si se tratara de una fórmula secreta o de una señal inequívoca?

Ciertamente éste no es *sólo* un desafío moderno. Durante miles de años, el pueblo ha inventado métodos para encontrar la voluntad de Dios o de los dioses. En el Antiguo Cercano Oriente durante el tiempo del Pentateuco, la adivinación era uno de los métodos favoritos, que se realizaba en varias formas. Los videntes vertían agua clara en una copa, echaban en esta piezas de oro, plata o piedras preciosas y observaban e interpretaban sus movimientos. Otra opción era echar agua en una copa, ponerla en el sol y leer los movimientos del sol actuando en el agua. Una tercera forma era la de poner agua en aceite, o aceite en agua, o vino en cualquier otro líquido, y observar los líquidos interactuar, para determinar los pensamientos de los dioses.

Incluso el libro de Proverbios describe un método: "Las suertes se echan sobre la mesa, pero el veredicto proviene del SEÑOR" (16:33). Además, los sacerdotes del Antiguo Testamento llevaban el Urim y el Tumim, que eran probablemente dos piedras casi idénticas, en una bolsa dentro de su coraza. Ellos podían determinar la voluntad de Dios sacando una de las piedras de la bolsa (ver Éxodo 28:30). Y luego estuvo el vellón de Gedeón (ver Jueces 6:36-40). La necesidad de descubrir la voluntad de Dios es ciertamente un desafío y un Principio Eterno.

Veremos en la Lectura Rápida del día de hoy que Dios les dio a los israelitas una forma para conocer su voluntad en relación a los desplazamientos del pueblo durante su peregrinaje en el desierto. Mire el pasaje de nuevo y describa brevemente el procedimiento como Dios lo diseñó.

Al leer este pasaje, muchos nos encontramos deseando que pudiera ser tan fácil y claro determinar la voluntad de Dios. ¿Quién podría dejar de ver una nube o malinterpretar cuando ésta se mueve o se detiene? ¿Cuáles serían las ventajas de que la voluntad de Dios fuera tan clara?

¿Cuáles serían las desventajas de que ésta fuera tan clara?

Nosotros no recibiremos una nube móvil sobre nuestras experiencias, que nos guíe paso a paso. Determinar la voluntad de Dios puede ser un desafío. ¿Qué frustraciones ha experimentado en esta área?

En Su voluntad está nuestra paz.
—Dante Alighieri, poeta épico nacional del siglo catorce en Italia

¿Qué componentes básicos están involucrados cuando se trata de conocer la voluntad de Dios?

¿Cómo se siente usted acerca de la comprensión y la práctica de esta delicada actividad espiritual?

Si usted necesita crecer en esta área, busque a alguien que sea de su confianza para hablar acerca de esto.

Sólo un recordatorio: Es fácil dejarse atrapar en la búsqueda de la voluntad de Dios, en cosas como qué casa comprar, qué trabajo tomar, qué regalo dar, etc., en las cuales, descuidamos Su muy clara e indiscutible voluntad moral. En realidad, tomamos más decisiones diarias en relación a Su voluntad moral que a cualquiera otra. Y muchas veces, decisiones apropiadas en ese respecto harían las otras decisiones más claras. Además, tenemos una guía que los israelitas no tenían y es el Espíritu Santo.

VERSÍCULO PARA MEMORIZAR

Que aunque vieron mi gloria y las maravillas . . . ninguno de los que me desobedecieron . . . verá jamás la tierra que, bajo juramento, prometí dar a sus padres.

NÚMEROS 14:22-23

NÚMEROS
[El Libro de la Incredulidad]

REPASO

1. El tema de Números es peregrinando en el desierto a causa de la falta de

   _____.

2. Los capítulos 13 y 14 son Capítulos Cruciales porque muestran cómo la incredulidad del pueblo retrasó por casi cuarenta años la entrada a la Tierra

   _____.

3. _____ y _____ son los Personajes Importantes porque ellos estuvieron dispuestos a confiar en Dios aún cuando se enfrentaron con grades obstáculos.

4. Nuestra Característica Destacable es la _____ de Moisés para entrar a La Tierra Prometida, demostrando una vez más que los caminos de Dios no son nuestros caminos.

5. "Que aunque vieron mi _____ y las maravillas . . . ninguno de los que me desobedecieron . . . verá jamás la tierra que, bajo juramento, prometí dar a sus padres."

   NÚMEROS 14: _____ - _____

DEUTERONOMIO

[El Libro de la Obediencia]

De que te he dado a elegir entre la vida y la muerte,

entre la bendición y la maldición. Elige, pues, la vida,

para que vivan tú y tus descendientes.

DEUTERONOMIO 30:19

CINCO

DEUTERONOMIO
[El Libro de la Obediencia]

INTRODUCCIÓN

Deuteronomio comienza con los israelitas ubicados en una nueva encrucijada: la frontera de Canaán, la Tierra Prometida. Moisés entendió que debido a su desobediencia, a él no se le permitiría entrar a la Tierra Prometida con ellos. Y al mirar desde el Río Jordán, Moisés podía ver la Tierra Prometida en donde ellos vivirían, una tierra donde abundaba la leche y la miel. Pronto él moriría, por lo cual, se propuso usar el tiempo que le quedaba para instruir al pueblo y recordarles que Dios estaba en el pasado, el presente y el futuro. Deuteronomio registra estos tres mensajes para la nueva generación.

En la primera lección, Moisés repasó lo que Dios había hecho por el pueblo. En la siguiente les dijo a los israelitas lo que Dios esperaba de ellos y en el último sermón les hizo una descripción de lo que Dios haría para ellos. Como Levítico, Deuteronomio es un libro de instrucciones. Aprendemos que la obediencia trae bendiciones, mientras que la desobediencia trae maldiciones o el castigo de Dios.

La paciencia, la fidelidad y el gran amor de Dios quedan claros en Deuteronomio. El libro también es un recordatorio de la seriedad de Dios acerca de la obediencia. Usted aprenderá como la obediencia es la clave, para experimentar un gozo y una paz inmensa en su vida y como ésta puede tener impacto para el bien de las generaciones futuras.

Deuteronomio
[El Libro de la Obediencia]

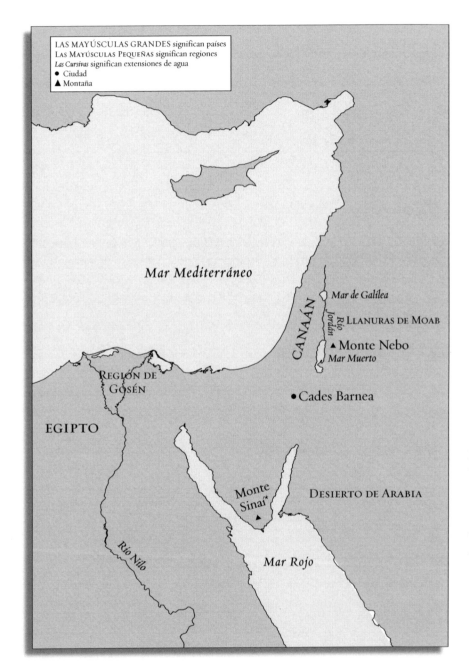

LAS MAYÚSCULAS GRANDES significan países
LAS MAYÚSCULAS PEQUEÑAS significan regiones
Las Cursivas significan extensiones de agua
● Ciudad
▲ Montaña

Mar Mediterráneo

CANAÁN

Mar de Galilea

Río Jordán

LLANURAS DE MOAB

▲ Monte Nebo

Mar Muerto

REGIÓN DE GOSÉN

● Cades Barnea

EGIPTO

Monte Sinaí *

▲

DESIERTO DE ARABIA

Río Nilo

Mar Rojo

*La localización actual del Monte Sinaí se cree está aquí, sin embargo esto es aún asunto de debate.

Deuteronomio
[El Líbro de la Obediencia]

RESUMEN

¿QUIÉN?	Autor: Moisés
¿QUÉ?	Preparando a la nueva generación para entrar a la tierra
¿CUÁNDO?	En el año 1405 a.C. Este libro abarca un período de un mes
¿DÓNDE?	El pueblo acampó al este del Rio Jordán con vista hacia la Tierra Prometida
¿POR QUÉ?	Moisés preparó a la generación nueva para entrar a la Tierra Prometida

I. HISTÓRICO: MEMORIAS DEL PASADO (DEUTERONOMIO 1-11)

   A. Moisés les recordó el FRACASO pasado del hombre (Deuteronomio 1).

   B. Moisés les recordó la FIDELIDAD pasada de Dios (Deuteronomio 2-11).

II. LEGAL: INSTRUCCIONES PARA EL FUTURO (DEUTERONOMIO 12-30)

   A. Hay dos razones para obedecer las leyes de Dios:

   1. Sus VIDAS irían mejor.

   2. Se muestra nuestro AMOR por Dios.

   B. Las leyes que el pueblo necesitó obedecer en la tierra fueron:

   1. Leyes o estatutos RELIGIOSOS

   2. Leyes o juicios NACIONALES

   3. Leyes o testimonios PERSONALES

III. PERSONAL: LAS DECISIONES PRESENTES AFECTAN EL FUTURO (DEUTERONOMIO 31-34)

   A. La DESOBEDIENCIA de Moisés le impidió que entrara a la tierra prometida.

   B. Moisés miró la tierra y MURIÓ.

APLICACIÓN

Con nuestra obediencia o desobediencia afectamos a las generaciones futuras.

DEUTERONOMIO
[El Libro de la Obediencia]

APRENDIENDO PARA LA VIDA

1. Comenzando con Génesis, desarrolle las bases para el libro de Deuteronomio (trabajo en grupo).

2. Describa el Pentateuco

   a. ¿Quién lo escribió? ¿Cuáles son los mensajes principales en cada libro?

   b. Realice una aplicación para su propia vida con cada uno de ellos.

3. ¿Por qué piensa usted que era tan importante que Moisés le recordara al pueblo de su pasado y del pasado de sus antepasados?

4. Si usted lograra que la generación nueva le escuchara y obedeciera, indique tres "mensajes" que les daría.

DEUTERONOMIO
[El Líbro de la Obediencia]

¡INTERESANTE!
Deuteronomio es la
renovación del pacto,
en un documento
escrito usando el mismo
formato con el que era
acostumbrado hacer los
tratados del Cercano
Oriente en el tiempo de
Moisés.

DÍA UNO

LECTURA COMPLETA: Capítulos 1-8
LECTURA RÁPIDA: Capítulo 6

LA ILUSTRACIÓN PRINCIPAL

Salir de su pueblo de origen y trasladarse a una ciudad nueva, el nacimiento de su primer hijo, el que su hijo menor deje la casa. Los tiempos de transición pueden ser emocionantes y desafiantes. Hay que dejar el pasado atrás, aunque también hay que honrarlo y recordarlo. El futuro todavía no ha llegado, pero debemos anticiparnos y prepararnos para éste.

El libro de Deuteronomio marca un tiempo de transición significativo para la nación de Israel:

- De la generación antigua a la generación nueva.

- Del peregrinaje en el desierto al establecimiento en Canaán.

- De una vida en tiendas de campaña a una vida en casas.

- Del maná y las codornices a la abundancia de leche, miel, maíz y vino.

- Del liderazgo de Moisés al liderazgo de Josué.

- De esperar la Tierra Prometida a establecerse en la Tierra Prometida.

No hay nada permanente excepto el cambio.

—HERÁCLITO, antiguo filósofo griego

Y para que recordaran el pasado y se prepararan para el futuro, Dios dio a Moisés un momento único con esta generación nueva, justo antes de que entraran a Canaán para conquistarla y establecerse en ella. Se detuvieron justo al este del río Jordán, donde podían mirar al otro lado y ver su herencia prometida. Fue en este lugar que Moisés eligió para instruirles por última vez desafiando al pueblo mediante largos sermones. Después de esto él subió al monte Nebo, miró por largo tiempo hacia la Tierra Prometida, murió y fue enterrado por Dios.

Como el resto del Pentateuco, Deuteronomio fue escrito por Moisés, excepto, por supuesto, el anuncio de su propia muerte. Lo más posible es que Josué, el nuevo líder de la nación, escribió esta parte de la narrativa.

La tabla siguiente presenta un repaso del contenido de Deuteronomio.

Capítulos 1–11	Capítulos 12–30	Capítulos 31–34
Memorias del pasado	Instrucciones para el Futuro	Decisiones Actuales que Afectan al Futuro
Histórico	Legal	Personal
Ref.: 8:2	Ref.: 29:10-13	Ref.: 34:1-12

Tiempo: 1–2 Meses   **Lugar:** En las Llanuras de Moab

El título hebreo para Deuteronomio quiere decir "las palabras" tomado de la frase inicial que se encuentra en 1:1. El título en español proviene del título de la traducción en griego del Antiguo Testamento y significa "Segunda Ley." Los dos títulos lo describen bien. Deuteronomio contiene "las palabras" de Moisés y también es una "segunda ley", no nueva, sino repetida. Deuteronomio no es un pacto nuevo, sino una renovación del pacto. Moisés repasó y repitió para la nueva generación, muchas de las revelaciones que Dios le había dicho a la generación anterior en el Monte Sinaí.

La generación anterior murió en Cades Barnea debido a su desobediencia. Ésta había constituido el pueblo de Israel en aquella época y solamente quedaron Moisés, Josué y Caleb, y ellos fueron los hijos de la generación anterior. Por esto, su instrucción final y un desafío para obedecer a su líder eran cru-

¿SABÍA USTED?
Deuteronomio también se llama "El discurso superior de Moisés en el desierto".

El arte del progreso es preservar el orden en medio del cambio y en medio del orden preservar el cambio.

—Alfred North Whitehead, lógico de Inglaterra, matemático y filósofo

ciales. El tema de Deuteronomio es preparando la generación nueva para entrar a la Tierra Prometida.

Tómese unos momentos para meditar y memorizar el versículo que se encuentra abajo. ¿Qué impresión le causa a usted el mensaje de este versículo?

Que ahora yo experimente sobre mí, Oh Dios, un gran sentido de Tú poder y de Tú gloria, para que pueda ver todas las cosas del mundo en su verdadera dimensión. Estoy contento, Oh Padre, de dejar mi vida en Tus manos. Estoy contento de someter mi voluntad a Tu control.

—JOHN BAILLIE[1]

VERSÍCULO PARA MEMORIZAR

De que te he dado a elegir entre la vida y la muerte, entre la bendición y la maldición. Elige, pues, la vida, para que vivan tú y tus descendientes.

DEUTERONOMIO 30:19

DEUTERONOMIO
[El Libro de la Obediencia]

DÍA DOS

LECTURA COMPLETA: Capítulos 9-15
LECTURA RÁPIDA: Capítulo 11

UN CAPÍTULO CRUCIAL

Alrededor del año 30 d.C., un joven maestro judío fue confrontado por los principales líderes religiosos de su tiempo, en lo que respecta a una serie de temas prácticos y teológicos. Los fariseos pensaron que podían dejar perplejo al joven maestro con la siguiente pregunta: "Maestro, ¿cuál es el mandamiento más importante de la ley?" Sin titubear Él les respondió, " 'AMA AL SEÑOR TU DIOS CON TODO TU CORAZÓN, CON TODO TU SER Y CON TODA TU MENTE.' Éste es el primero y el más importante de los mandamientos" (Mateo 22:36-38). El joven maestro era Jesús, el Hijo de Dios. Y Su respuesta era una cita directa del libro de Deuteronomio del Antiguo Testamento, del capítulo 6 que vamos a estudiar hoy como Capítulo Crucial. Al final de nuestro estudio nos enfocaremos en esta cita.

En Deuteronomio 1-5, Moisés repasó parte de la historia de los israelitas, enseñando a la generación nueva a obedecer los mandamientos de Dios. Reiteró la ley moral (Los Diez Mandamientos) que Dios le había dado al pueblo en el Monte Sinaí, hacía ya treinta y ocho años. En Deuteronomio 6, su corazón estaba apesadumbrado por el mensaje y exhortación que debía dar al pueblo y apasionadamente les suplicó "¡Escucha, Israel!" para que ellos aceptaran estas palabras en lo más profundo de sus corazones, porque él sabía que si no lo hacían así, sus corazones se perderían.

En los versículos 6:1-3 y 6:16-19 ¿Cómo les exhortó él y cuales serían los beneficios de obedecer su exhortación?

Al traerlos Dios a la tierra, ellos se beneficiarían de cosas que no se habían proveído ellos mismos. En 6:10-15, ¿Cómo describió Moisés esto y qué indicó sería el problema más grande que enfrentarían?

La relación entre los israelitas y Dios siempre fue un asunto familiar. Las frases "nuestros padres", "nuestros hijos" y "nuestros nietos" ocurren con mucha frecuencia en el Antiguo Testamento. Este capítulo no es la excepción, especialmente en cuanto a los "hijos". El versículo 2 ya les había presentado la idea: "Para que durante toda tu vida tú y tus hijos y tus nietos honren al SEÑOR tu Dios."

Lea los versículos 6:6-9 y 6:20-25, y de éstos, escriba tantas ideas como usted pueda acerca del deseo de Moisés y de Dios, de que cada generación pasara a la próxima, una relación fundamental con su Dios. El buscar principios y acciones en estos versículos podría ser de ayuda.

Principios:

Acciones:

La respuesta que Jesús dio a la pregunta de los fariseos de: "¿Cuál es el mandamiento más importante de la Ley?", se encuentra escondida cerca del inicio de Deuteronomio 6. Lo más probable, es que Moisés intentó que éste fuera la motivación para todo lo que se les instruyó y animó a hacer, y no sólo en este capítulo, sino también en el libro entero de Deuteronomio.

Lea los versículos 4 y 5. Describa en sus propias palabras que quiere decir el versículo 5 y que motivación le da a usted para realizar y vivir todo lo demás en este capítulo.

Cuando la espiritualidad es vista como un viaje, el camino a la plenitud espiritual se encuentra en una respuesta aun más fiel para Aquel cuyo propósito le da forma a nuestro camino, cuya gracia redime nuestros desvíos, y cuya presencia transformante nos encuentra a cada vuelta en el camino.
—M. Robert Mulholland, autor[2]

¿Dónde clasifica usted este tipo de amor a Dios, en sus diversas motivaciones para servirle a Él?

¿Está usted contento con la clasificación que dio a Dios, en sus propias motivaciones? ¿Si no, como puede crecer en ésta área?

VERSÍCULO PARA MEMORIZAR

De que te he dado a elegir entre la vida y la muerte, entre la bendición y la maldición. Elige, pues, la vida, para que vivan tú y tus descendientes.

DEUTERONOMIO 30:19

EUTERONOMIO
[El Libro de la Obediencia]

DÍA TRES

LECTURA COMPLETA: Capítulos 16-22
LECTURA RÁPIDA: Capítulos 17-18

UN PERSONAJE IMPORTANTE

En el último discurso que dio, Martin Luther King Jr., hizo un conmovedor llamado a mirar hacia el futuro y esperar a que las cosas fueran diferentes de lo que eran en ese momento. Y en este discurso, se refirió al último capítulo del libro de Deuteronomio y a nuestro Personaje Importante, Moisés. King dijo:

> "He subido a la cima de la montaña . . . como a cualquier persona, me gustaría vivir una vida larga. La longevidad tiene su lugar, pero ahora no estoy preocupado con esto. Yo sólo quiero hacer la voluntad de Dios, y Él me ha permitido subir la montaña y yo he mirado sobre ella, y he visto la tierra prometida. Quizás no llegaré con ustedes. Pero esta noche, quiero que sepan que nosotros, como un pueblo, llegaremos a la tierra prometida. Y estoy feliz, esta noche mis ojos han visto la gloria de la venida del Señor"[3].

Después de ese discurso, King regresó a la habitación del motel, fue atravesado por una bala asesina y murió; él estaba en lo correcto, ya que nunca llegó hasta la Tierra Prometida que había soñado y luchado por alcanzar.

Para Moisés, la escena fue parecida, él literalmente fue a la cima de la montaña, miró hacia la Tierra Prometida y después murió. Él miró, pero nunca entró a la Tierra Prometida que había soñado y luchado por alcanzar.

SÓLO UN PENSAMIENTO
Booker T. Washington dijo: "El éxito no se debe medir tanto por la posición que uno ha alcanzado en la vida, sino, por los obstáculos que uno a sobrepasado mientras intentaba alcanzar el éxito". Que cierto fue esto acerca de Moisés.

Moisés fue al Monte Cianuro para recibir los diez mandamientos; él se murió antes de alcanzar Canadá.
—como lo dijo un niño[4]

En el Día Cuatro del estudio del libro de Números, leímos acerca del evento que descalificó a Moisés para entrar a la tierra prometida. Moisés repite esta escena otra vez en este libro.

Lea Deuteronomio 32:48-52 para recordar lo que dice. ¿Tiene usted nuevos pensamientos acerca del evento qué aquí es repetido?

¡ASOMBROSO!
El viaje del Monte Sinaí a la Tierra Prometida dura de unos dieciocho a veinte días. A los israelitas éste les tomó cuarenta años.

Lea Deuteronomio 34:1-3. ¿Qué cree usted que Moisés estaba pensando y sintiendo en sus últimos momentos?

La forma en que utilizamos nuestra intimidad con El Todopoderoso, trae consigo un intenso sentido de responsabilidad.
—Reggie McNeal, autor[5]

Lo que Dios dice en el versículo 4 del capítulo 34 es muy importante. En este momento, Dios iba a cumplir Su promesa a Abraham, ¡una promesa que Él había hecho hacía setecientos años! Moisés no entraría a la tierra, pero Dios le dijo que la espera de setecientos años, llegaría pronto a su fin. El amor de Moisés por el pueblo que había guiado (a pesar de sus quejas y rebeliones) nunca disminuyó. Nosotros podemos solamente imaginar el gozo que él sintió por el pueblo al saber que ellos al fin entrarían a la Tierra Prometida.

Los versículos 5-12 describen la muerte de Moisés, su entierro por Dios y el elogio de Dios para Moisés. Meditando acerca de estos versículos (así como Números 12:3), escriba todo lo que ve acerca de la apreciación de Dios para Moisés.

> *Más que en cualquier otro momento, es a la hora de la muerte, que nos vemos a nosotros mismos tal cual somos y que mostramos nuestro verdadero carácter.*
> —ROBERT H. BENSON, autor

Pensando en lo que sabemos acerca de la vida de Moisés (de su relación con Dios), su inmensa responsabilidad de guiar 2.5 millones de personas, su amor para ellos aún en tiempos de queja y rebelión, sus luchas, su propia desilusión de nunca poder lograr llegar a la tierra prometida y la apreciación de Dios para Moisés en Deuteronomio 34, ¿Qué le gustaría imitar de lo que aprendió de nuestro Personaje Importante?

Ore, pidiendo a Dios que le permita que sus deseos se vuelvan una realidad.

VERSÍCULO PARA MEMORIZAR

De que te he dado a elegir entre la vida y la muerte, entre la bendición y la maldición. Elige, pues, la vida, para que vivan tú y tus descendientes.

DEUTERONOMIO 30:19

¡REPASE ESTO!
En Deuteronomio, Moisés es el Personaje Importante basado en la apreciación que Dios hizo de él en el capítulo 34.

DEUTERONOMIO
[El Libro de la Obediencia]

NOTA
Unas 259 veces los primeros cuatro libros del Pentateuco son usados como referencia en el libro de Deuteronomio.

DÍA CUATRO

LECTURA COMPLETA: Capítulos 23-30
LECTURA RÁPIDA: Capítulo 28

UNA CARACTERÍSTICA DESTACABLE

J.I. Packer discute la idea de estudiar y conocer a Dios. El escribe:

> El conocimiento acerca de Dios tiene una importancia crucial para el desarrollo de nuestra vida. Así como sería cruel trasladar a un aborigen del Amazonas directamente a Londres, depositarlo sin explicación alguna en la plaza de Trafalgar, y abandonarlo allí, sin conocimiento de la lengua inglesa ni de las costumbres inglesas, para que se desenvuelva por su cuenta; así también somos crueles para con nosotros mismos cuando intentamos vivir en este mundo sin conocimiento de ese Dios de quien es el mundo y que lo dirige. Para los que no saben nada en cuanto a Dios, este mundo se torna en un lugar extraño, loco y penoso, y la vida en él se hace desalentadora y desagradable. El que descuida el estudio de Dios se sentencia a sí mismo a transitar la vida dando tropezones y errando el camino como si tuviera los ojos vendados, por así decirlo, sin el necesario sentido de la dirección y sin comprender lo que ocurre a su alrededor.[6]

El corazón que aún no esta seguro de su Dios, es el que tiene miedo de reír en Su presencia.

—GEORGE MACDONALD, novelista y poeta escocés del siglo diecinueve

De una manera similar, A.W. Tozer escribe lo siguiente: "Si pudiéramos sacar de cualquier hombre una respuesta completa a la pregunta, '¿Qué viene a su mente cuándo piensa en Dios?' quizás podríamos predecir con certeza el futuro espiritual de aquel hombre".[7]

Si estos dos hombres están en lo correcto, entonces nuestra búsqueda primordial en la vida debería ser conocer de Dios a través del estudio y la relación personal con Él.

De manera interesante, Moisés indicó una pasión similar. Si bien podemos aprender de Dios por medio de cada libro en la Biblia, parece que Deuteronomio tiene más enseñanzas claras y más ejemplos de quien es Dios que casi cualquier otro, y tiene sentido, porque Moisés estaba exhortando a la generación nueva al llamado más alto posible: conocer, amar y obedecer a su Dios. Así, una Característica Destacable del libro de Deuteronomio son los indicios y las descripciones de quien es realmente Dios. Mientras se prepara para investigar estos pasajes, pídale a Dios que le de nuevo y verdadero entendimiento acerca de Él.

Lea los siguientes grupos de versículos y escriba lo que estos enseñan acerca de Dios y trate de ilustrar con un ejemplo de su propia vida cómo usted ha experimentado esa verdad particular acerca de Él.

Deuteronomio 6:10; 7:9; 9:5; 10:11; 29:13

Una verdad acerca de Dios y cómo se demuestra:

Un ejemplo de su vida:

Deuteronomio 3:24; 4:34; 6:21-23; 7:17-21; 9:29

Una verdad acerca de Dios y cómo se demuestra:

¿SABÍA USTED?
Después de la muerte
de Moisés, le vemos
nuevamente en Marcos
9:2-4, conversando con
Jesús en una montaña.

Un ejemplo de su vida:

Deuteronomio 4:37; 7:7-8, 12-13; 10:14-15

Una verdad acerca de Dios y cómo se demuestra:

Un ejemplo de su vida:

Se Tú mi visión,
  Oh Señor, de mi
    corazón;
Que nada sea más para
  mí que Tú.
Tú mi mejor
  pensamiento, de
  día o de noche,
Al despertar o al
  dormir, Tú presencia
  mi luz.
—Antiguo himno
irlandés[9]

Deuteronomio 4:24; 5:9; 6:15

Una verdad acerca de Dios y cómo se demuestra:

Un ejemplo de su vida:

Deuteronomio 1:34-38; 3:26-27; 9:22

Una verdad acerca de Dios y cómo se demuestra:

Un ejemplo de su vida:

Hay muchas descripciones de la persona de Dios en este libro, pero de las pocas que usted haya descubierto, ¿Cuál le ha impresionado más? Cambie estos pensamientos de Dios a una oración, que igual puede ser hablada o escrita.

Versículo para Memorizar

De que te he dado a elegir entre la vida y la muerte, entre la bendición y la maldición. Elige, pues, la vida, para que vivan tú y tus descendientes.

Deuteronomio 30:19

¡REPASE ESTO!
Una Característica
Destacable en el libro
de Deuteronomio es el
despliegue de imágenes
de la persona de Dios.

Deuteronomio
[El Libro de la Obediencia]

¿SABÍA USTED?
Jesús citó el libro de
Deuteronomio tres
veces en respuesta a las
tentaciones de Satanás.

DÍA CINCO

Lectura Completa: Capítulos 31-34
Lectura Rápida: Capítulo 31

Un Principio Eterno

> Hay tres cosas que siempre se me olvidan, nombres, caras y la tercera no la puedo recordar.
> —Italo Svero, novelista italiano

> Tengo una gran memoria para el olvido, David.
> —Robert Louis Stevenson[11]

> ¡Oh Señor! sabes cuán ocupado estoy este día; si yo me olvido de Ti, Tú no te olvides de mí.
> —Sir Jacob Astley, Oración antes de la batalla de Edgehill, 1642

Pero los hombres son hombres; los mejores a veces olvidan.

—William Shakespeare, *Otelo*

Olvidar es humano. Muy a menudo las consecuencias de la falta de memoria son intranscendentes. Pero a veces, nuestro olvido nos cuesta muy caro.

En el libro de Deuteronomio, Moisés apasionadamente habló de nuestra inclinación para olvidar, especialmente en lo concerniente a Dios. Moisés sabía que la amnesia espiritual era letal. En el libro, la palabra *olvidar* y sus formas ocurren trece veces y la palabra *recordar* ocurre catorce veces. Este tema es tan fuerte en Deuteronomio que el libro ha sido llamado "El Libro del Recuerdo".

Jesús entendía lo fácil que sería para nosotros olvidar. Durante su última cena con sus discípulos antes de su muerte, Él instituyó lo que llamamos: La Comunión, La Cena del Señor ó La Eucaristía diciendo:

"Este pan es Mi cuerpo, que será entregado por ustedes; hagan esto en *memoria* mía" (Lucas 22:19 énfasis adherido). Una conmemoración, un ritual, una manera de recordar periódicamente en nuestra mente el mayor sacrificio jamás realizado. Esto nos ayuda a no olvidar.

Cuando lea los siguientes versículos, escriba sus respuestas a las siguientes preguntas: Deuteronomio 4:9-10, 23; 6:10-12; 7:17-19; 8:2, 11-14, 19; 9:7; 24:18

¿Qué les advierte Moisés a ellos que no olviden?

¿Cuáles serían las causas de su olvido?

¿Cuáles son algunos resultados de su olvido?

RECUERDE
Pedro dijo a los lectores de su segunda carta, que no vacilaría en "Refrescarles la Memoria" (2 Pedro 1:13, 3:1).

Sólo si lo recordamos, podremos entenderlo.
—E.M. FORSTER, novelista británico del siglo veinte

Después de revisar detenidamente la inclinación de los israelitas para el olvido, ¿Qué nota que también es cierto sobre usted,
a veces?

¿Qué hábitos espirituales, acciones, disciplinas, o recordatorios
puede construir en su vida para protegerse contra el hecho de
que "olvidar es de humanos"?

*Pero algo más me viene
a la memoria, lo cual
me llena de esperanza:
El gran amor del Señor
nunca se acaba, y su
compasión jamás se
agota.*
—El profeta Jeremías
(Lamentaciones 3:21-22)

Versículo para Memorizar

De que te he dado a elegir entre la vida y la muerte,
entre la bendición y la maldición. Elige, pues, la vida,
para que vivan tú y tus descendientes.

Deuteronomio 30:19

DEUTERONOMIO
[El Libro de la Obediencia]

REPASO

1. El tema de Deuteronomio es _____ la generación nueva para entrar a la tierra.

2. El capítulo 6 es un Capítulo Crucial porque es la_____ apasionada de Moisés para que amemos a Dios con todo nuestro corazón, ser y mente.

3. En Deuteronomio,_____ es el Personaje Importante basado en la apreciación que Dios hizo de él en el capítulo 34.

4. Una Característica Destacable en el libro de Deuteronomio es el despliegue de _____ de la persona de Dios.

5. "De que te he dado a elegir entre la vida y la muerte, entre la _____ y la maldición. Elige, pues, la vida, para que vivan tú y tus descendientes".

DEUTERONOMIO 30: _____

Revisión Comprensiva del PENTATEUCO

Génesis

1. El tema de Génesis es el libro de los _____. Génesis es el origen de las bendiciones para todas las familias de la tierra.

2. El Capítulo 3 es un Capítulo Crucial, en él se describe el primer pecado del hombre y la primera promesa de _____ de Dios.

3. _____ es un Personaje Importante porque Dios lo escogió a él para ser el padre de la nación que brindaría bendiciones para todas las familias del mundo.

4. Una Característica Importante del libro, es la _____ de Dios en escoger a Egipto como el lugar para desarrollar Su nación.

5. "Estableceré mi _____ contigo y con tu descendencia, como pacto perpetuo, por todas las generaciones".

Génesis 17: _____

Éxodo

1. El tema de Éxodo es: no tendrás otros _____ además de Mí.

2. Los Capítulos Cruciales son: 11 y 12, porque estos nos muestran cómo la _____ es un momento decisivo en el plan de Dios para llevar la salvación a Israel y al mundo.

3. _____ es el Personaje Importante en Éxodo, vemos como Dios obró en él para ayudarlo a convertirse en lo que necesitaba ser.

4. El _____ es una Característica Destacable en Éxodo, ya que representa la presencia de Dios y nuestra manera de acercarnos a Él.

5. "Yo soy el SEÑOR tu Dios. Yo te saqué de Egipto, del país donde eras

_____."

ÉXODO 20: _____

LEVÍTICO

1. El tema de Levítico es: Sean, pues, _____, porque yo soy santo.

2. Levítico 16 es un Capítulo Crucial que describe el Día anual de la

_____, el día más importante en el calendario judío.

3. Una Característica Destacable del libro de Levítico es la descripción de las cinco

_____ como diferentes formas para acercarse a Dios, de

acuerdo con la necesidad por la cual una persona estaba dando la ofrenda.

4. La segunda Característica Destacable del libro es una descripción de las siete

_____ mencionadas en el capítulo 23.

5. "Sean, pues, _____, porque yo soy santo".

LEVÍTICO 11: _____

NÚMEROS

1. El tema de Números es peregrinando en el desierto a causa de la falta de

_____.

2. Los capítulos 13 y 14 son Capítulos Cruciales porque muestran cómo la incredulidad del

pueblo retrasó por casi cuarenta años la entrada a la Tierra _____ .

3. _____ y _____ son los

Personajes Importantes porque ellos estuvieron dispuestos a confiar en Dios aun

cuando se enfrentaran con grandes obstáculos.

4. Nuestra Característica Destacable es la _____ de

Moisés para entrar a La Tierra Prometida, demostrando una vez más que los caminos

de Dios no son nuestros caminos.

5. "Que aunque vieron mi _____ y las maravillas . . . ninguno de los que me desobedecieron . . . verá jamás la tierra que, bajo juramento, prometí dar a sus padres."

NÚMEROS 14: _____-_____

DEUTERONOMIO

1. El tema de Deuteronomio es _____ la generación nueva para entrar a la tierra.

2. El capítulo 6 es un Capítulo Crucial porque es la _____ apasionada de Moisés para que amemos a Dios con todo nuestro corazón, ser y mente.

3. En Deuteronomio, _____ es el Personaje Importante basado en la apreciación que Dios hizo de él en el capítulo 34.

4. Una Característica Destacable en el libro de Deuteronomio es el despliegue de _____ de la persona de Dios.

5. "De que te he dado a elegir entre la vida y la muerte, entre la _____ y la maldición. Elige, pues, la vida, para que vivan tú y tus descendientes".

DEUTERONOMIO 30: _____

¡FELICITACIONES!

Usted acaba de completar el viaje a través del Pentateuco. ¡Ha sido toda una aventura! En estos cinco primeros libros de la Biblia, usted ha viajado desde la belleza y perfección del Jardín del Edén hacia un diluvio universal, de la idolatría en Canaán, de la esclavitud en Egipto y el peregrinaje en el desierto hasta la frontera de la Tierra Prometida. Ha sido testigo de milagros de proporciones alucinantes: plagas terribles, la separación del Mar Rojo, agua saliendo de las rocas, alimento cayendo del cielo y un burro hablando. Pero por encima de todo, usted se ha parado en la presencia de Dios Todopoderoso y ha visto su carácter: Su poder en Génesis, Su fidelidad en Éxodo, Su sabiduría en Levítico, Su justicia en Números y Su amor en Deuteronomio.

¡Y ahora la aventura continúa! Cada página de esta Colección Maravillosa ha sido escrita con el amor de Dios a favor de sus hijos. Al salir del Pentateuco y pasar a los libros de Reyes (Josué hasta 2 Reyes), usted tendrá que caminar con hombres y mujeres que fueron valientes y débiles; algunos buenos y otros malos. Conocerá a los fieles y a los infieles. Y aprenderá más acerca del carácter de Dios: Su poder, bondad, paciencia y gran amor.

También escuchará historias reales de personas que dan hoy testimonio del poder de Dios en sus vidas y tendrá la oportunidad de alabar (a través de la música) al Dios Todopoderoso de la Biblia. ¡La aventura continúa!

La Relación Cronológica de los Libros del Antiguo Testamento

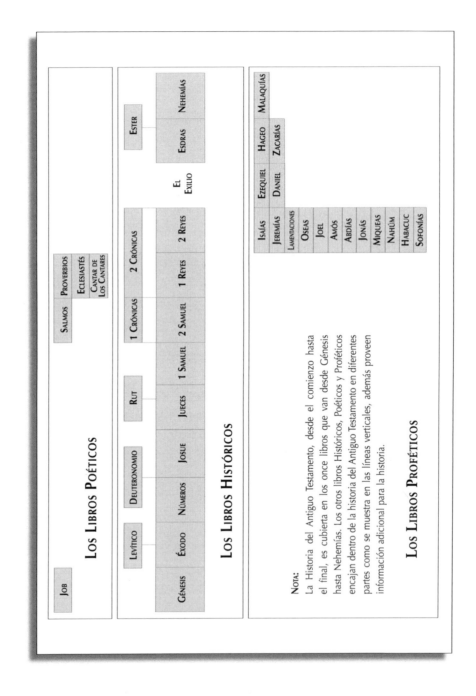

Los Libros Poéticos

Job · Salmos · Proverbios · Eclesiastés · Cantar de Los Cantares

Los Libros Históricos

Génesis · Éxodo · Levítico · Números · Deuteronomio · Josué · Rut · Jueces · 1 Samuel · 2 Samuel · 1 Crónicas · 1 Reyes · 2 Crónicas · 2 Reyes · El Exilio · Ester · Esdras · Nehemías

Los Libros Proféticos

Isaías · Jeremías · Lamentaciones · Ezequiel · Daniel · Hageo · Zacarías · Malaquías · Oseas · Joel · Amós · Abdías · Jonás · Miqueas · Nahúm · Habacuc · Sofonías

Nota:
La Historia del Antiguo Testamento, desde el comienzo hasta el final, es cubierta en los once libros que van desde Génesis hasta Nehemías. Los otros libros Históricos, Poéticos y Proféticos encajan dentro de la historia del Antiguo Testamento en diferentes partes como se muestra en las líneas verticales, además proveen información adicional para la historia.

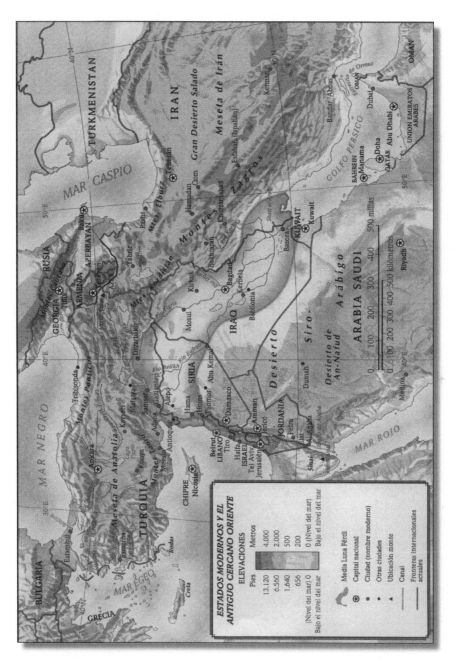

Los Estados Modernos y el Antiguo Cercano Oriente del Atlas de la Biblia de Holman © 1998. Usado con permiso para publicación de la Biblia de Holman.

NOTAS

Las frases y citas de otros autores en este libro, fueron traducidos para uso en este estudio y es posible que difieran de otras traducciones que pueden haberse publicado.

GÉNESIS

1. Stuart Briscoe, *What Works When Life Doesn't* — traducido del original en inglés - (Wheaton, Ill.: Victor, 1976), p. 9.

2. Margaret Miner y Hugh Rawson, *A Dictionary of Quotations from Shakespeare* — traducido del original en inglés - (New York: Penguin Books, 1992), p. 145.

3. Mark Water, *The New Encyclopedia of Christian Quotations* — traducido del original en inglés - (Grand Rapids, Mich.: Baker,2000), p. 610.

4. Joseph P. Free, *Archaeology and Bible History* — traducido del original en inglés - (Wheaton, Ill.: Scripture Press, 1950), p. 49.

5. Albert Edward Day, *The Captivating Presence,* traducido del original en inglés

6. Henry Vaughn, *The Revival,* www.holytrinitynewrochelle.org/yourti14378.html — traducido del original en inglés - (consultado el 8 de abril, 2004).

7. Alice Gray, *Stories from the Heart* — traducido del original en inglés - (Sisters, Oreg.: Multnomah, 1996), p. 263.

8. A. W. Tozer, en su libro *Pursuit of God* — traducido del original en inglés - (Harrisburg, Pa.: Christian Publications, 1948), p. 26.

9. John Baillie, A *Diary of Private Prayer,* traducido del original en inglés.

ÉXODUS

1. Seminar Notebook, *Walk Thru the Old Testament*— traducido del original en inglés - (Portland, Oreg.: Walk Thru the Bible Associates, 1975), pp. 66-68.

2. Max Lucado, *The Applause of Heaven* (Dallas: Word, 1990), pp. 138-139.

3. Edmund Burke citado en Maxie D. Dunnam, *The Communicator's Commentary: Exodus* (Dallas: Word, 1987), p. 59.

4. Joan-Puls, *Every Bush Is Burning,* traducido del original en inglés.

5. Ron Mehl, *The Ten(der) Commandments* — traducido del original en inglés - (Sisters, Oreg.: Multnomah, 1998), pp. 28-29.

LEVÍTICO

1. James S. Hewett, *Illustrations Unlimited*— traducido del original en inglés - (Wheaton, Ill.: Tyndale, 1988), pp. 34-35.

2. Este escenario lo sugirió primero G. R. Harding en *A Bird's-Eye View of the Bible*, pp. 40-41.

3. Oración puritana en el libro *The Valley of Vision*, traducido del original en inglés.

4. Thomas R. Kelly, *A Testament of Devotion*, traducido del original en inglés.

5. Poema de Rudyard Kipling, titulado *"The Way Through the Woods"*, traducido del original en inglés.

6. J. I. Packer, *Rediscovering Holines* (Ann Arbor, Mich.: Servant, 1992), p. 12, traducido del original en inglés.

7. Oración de un puritano en *The Valley of Vision*, traducido del original en inglés.

8. John Wesley citado en Packer- traducido del original en inglés, pp. 12-13.

9. Oración de un puritano en *The Valley of Vision*, traducido del original en inglés.

10. Packer, pp. 40-41, traducido del original en inglés.

11. Oración de un puritano en *The Valley of Vision*, traducido del original en inglés.

NÚMEROS

1. J. R. R. Tolkien, profesor inglés y autor de la trilogía de *The Lord of the Rings*, traducido del original en inglés.

2. David Kerr, autor de *The Biblical Expositor*, traducido del original en inglés.

3. James S. Hewett, *Illustrations Unlimited* - traducido del original en inglés - (Wheaton, Ill.: Tyndale, 1988), p. 188

4. Oswald Chambers, autor del libro *My Utmost for His Highest* — traducido del original en *inglés*.

DEUTERONOMIO

1. John Baille, autor de *A Diary of Private Prayer*, traducido del original en inglés.

2. M. Robert Mulholland, autor de *Invitation to a Journey*, traducido del original en inglés.

3. Martin Luther King Jr., www.afscme.org/about/kingspch.htm (consultado el 8 de abril, 2004).

4. Como lo dijo un niño en *A Speaker's Sourcebook*, un libro escrito por Virgil Hurley, traducido del original en inglés.

5. Reggie McNeal, autor de *A Work of Heart*, traducido del original en inglés.

6. J. I. Packer, *Knowing God*, traducido del original en inglés - (Downers Grove, IL, InterVarsity, 1973), pp.13-15.

7. A. W. Tozer, autor de *The Knowledge of the Holy*, (New York: Harper & Row, 1961), p. 9., traducido del original en inglés.

8. J. I. Packer, teólogo, profesor y autor de *Knowing God*, traducido del original en inglés.

9. *Be Thou My Vision,* antiguo himno irlandés, traducido del original en inglés.

10. Eugene Peterson, pastor y traductor de *The Message*, traducido del original en inglés.

11. Robert Louis Stevenson, *Kidnapped*, traducido del original en inglés.

Guia Del Líder

1. *Webster's New Collegiate Dictionary* (Springfield, Mass.: G&C Merriam Co. Publishers, 1960), p. 237.

2. John K. Brilhart, *Effective Group Discussion* (Dubuque, Iowa: Wm. C. Brown Company Publishers, 1967), p. 26.

3. *How to Lead Small Group Bible Studies* (Colorado Springs, Colo.: NavPress, 1982), pp. 40-42.

BIOGRAFÍAS

PAT HARLEY
Maestra

Pat entregó su vida a Jesucristo a los treinta y dos años de edad, después de que Él interviniera poderosamente y le ayudara a resolver sus graves problemas matrimoniales. Luego de ocho años de estudio, ella comenzó a enseñar la Biblia a las mujeres, convencida de que es la Palabra de Dios, la que ofrece ayuda y esperanza a las mujeres de hoy. Ella fue la fundadora y es la presidenta de "Big Dream Ministries Inc." También se desempeñó durante dieciocho años como directora de "The Women's Fellowship", un ministerio que agrupó a más de quinientas mujeres. Además sirvió como directora de los ministerios de damas en Fellowship Bible Church en Roswell, Georgia, E.U.A. Pat tiene una maestría en artes en la educación de la Universidad Western en Michigan E.U.A. y ha tomado cursos en el Seminario Teológico de Dallas. Ella y su esposo tienen dos hijas casadas y varios nietos.

ELEANOR LEWIS
Maestra

Eleanor aceptó a Cristo a la edad de veintiséis años, para tener la certeza de poder entrar al cielo. Sin embargo, cuando su hijo nació con un grave defecto congénito, ella volvió a la Palabra de Dios en busca de respuestas y encontró no sólo a un Salvador, sino también a un Señor Todo Poderoso. La Palabra de Dios cobró vida para ella y comenzó a enseñar y hablar en los clubes de mujeres cristianas. Durante casi treinta años, ha impartido estudios Bíblicos en iglesias, hogares y oficinas. Además, habla en conferencias y retiros por todo el país e internacionalmente. Es presidenta de "Insights and Beginnings, Inc.", que produjo una serie de videos de estudios Bíblicos para ayudar a la gente a comprender su tipo de temperamento, superar debilidades y utilizar sus puntos fuertes para la gloria de Dios. Eleanor y su esposo viven en el área de Atlanta E.U.A. tienen un hijo casado y un nieto.

MARGIE RUETHER

Maestra

Aunque Margie no creció en un hogar cristiano, sus padres dedicaron sus vidas a Cristo después de que Margie ingresó a la universidad. Fue el ver el piadoso ejemplo de su madre y las oraciones de ella, lo que la llevaron al trono de la gracia. Su creciente amor por Jesús y Su Palabra, la llevó a la Bible Study Fellowship International, una organización cristiana inter-denominacional en la que los laicos enseñan estudios bíblicos. Después de muchos años de estudio, se convirtió en una líder de enseñanza y un miembro del equipo regional. Sirvió allí durante varios años antes de convertirse en una Maestra en "The Women's Fellowship" en la ciudad de Roswell, estado de Georgia en E.U.A.. Ella también ha facilitado programas de entrenamiento para maestras de estudio bíblico y ha sido expositora en retiros y conferencias en iglesias. Ella y su familia viven en el estado de Delaware E.U.A.

LINDA SWEENEY

Maestra

Linda aceptó a Cristo como su salvador personal cuando tenía doce años de edad. Ya de adulta, ella aprendió a amar la Palabra de Dios más y más. Ella comenzó a ver los cambios producidos por Dios no sólo en su vida, sino también en la vida de otras personas cuando se adhieren a la sabiduría de las Escrituras. Debido a su gran pasión para entusiasmar a mujeres a conocer la palabra y ver cómo Dios cambia sus vidas al responder en obediencia a Él. Linda comenzó bajo la guía de Dios a enseñar la Biblia a mujeres de su iglesia y comunidad. Ella ha enseñado clases de escuela dominical por muchos años y por ocho años fue una líder de enseñanza, muy querida en Bible Study Fellowship International. Durante este tiempo, no solamente enseñó a cientos de mujeres semanalmente, sino que también entrenó en sus clases a un grupo numeroso de líderes de Bible Study Fellowship International. Ella ha enseñado en retiros de mujeres y ha sido expositora en reuniones y conferencias para mujeres a lo largo del sur de los Estados Unidos. Ella y su esposo viven en el área de la ciudad de Atlanta, en el estado de Georgia E.U.A. y tienen una hija casada, un hijo y dos nietos.

ART VANDER VEEN

Editor

Art comenzó su relación con Cristo a los trece años de edad. A los treinta años y después de graduarse de la Universidad de Nuevo México, comenzó a prepararse para un ministerio de tiempo completo. Obtuvo el Título de Maestría en Teología en el Seminario Teológico de Dallas y ha ayudado al personal de la Cruzada Estudiantil para Cristo. Fue uno de los miembros originales del equipo "Walk Thru the Bible Ministries". Él se ha desempeñado como capellán de los "Atlanta Falcons" (Un equipo de fútbol americano, por su nombre en inglés). En 1979, formó parte de un equipo que fundó Fellowship Bible Church en Roswell, Georgia (E.U.A.), donde fue pastor durante casi veinticinco años. Ahora se desempeña como pastor, maestro y mentor en Little Branch Community Church en el área de Atlanta. Art tiene pasión por ayudar a la gente a entender las Escrituras como la verdad revelada de y sobre Dios. Él y su esposa Jan tienen tres hijos casados y siete nietos.

CARRIE OTT
Editora, Diseñadora

Carrie encontró a Cristo a una edad temprana. Toda su vida ha tenido una pasión por las palabras y como una escritora independiente y diseñadora, esta pasión se duplica cuando se trata de palabras (captadas, leídas o escritas) que intentan esbozar un definición del misterio y la maravilla de Dios y Su Palabra. Carrie se identifica con Matilde de Magdeburgo, quien dijo: "De las cosas celestiales que Dios me ha mostrado, yo puedo hablar sólo una palabra pequeña, no más de lo que una abeja pueda llevar en sus pies de un frasco derramado." Carrie y su esposo tienen tres hijos y viven en el área de Atlanta E.U.A.

Para aprender mas acerca de
Big Dream Ministries, Inc. y
de La Colección Maravillosa,
Visite su website en:

www.theamazingcollection.org

LA GUÍA DEL LÍDER

Introducción

El liderar un grupo de estudio bíblico puede ser un desafío y a la vez una experiencia increíblemente gratificante. Esta guía del líder le ayudará con la parte "desafiante", mientras usted confía en Dios para producir esta experiencia "increíblemente gratificante."

Esta guía no está diseñada para llevarlo paso a paso a través de los estudios individuales. Al contrario, ofrecerá una orientación general e instrucción en los principios y las técnicas. La mayor parte de lo que aprenderá aquí no será solamente aplicable a *La Colección Maravillosa* sino que también a cualquier clase de grupos de estudio. La única excepción es la sección titulada Formatos Sugeridos.

Cada sección de esta Guía del Líder tratará con un solo tema, así podrá regresar fácilmente a la guía para ayuda y referencia en el futuro.

¡Gracias por aceptar el desafío y la responsabilidad de dirigir a su grupo! Oramos para que Dios le permita a usted que ésta sea una experiencia gratificante y provechosa.

Discusión: El Componente Esencial

Las palabras *grupo pequeño de estudio bíblico* son casi sinónimo de la palabra *discusión*. Aún cuando existen lugares y propósitos muy importantes para la lectura (la comunicación de una sola vía), la mayor parte de un grupo pequeño no es uno de estos. Por lo tanto, la discusión siempre será un componente esencial para que la experiencia de un grupo pequeño sea exitosa.

La discusión es la investigación de un tema o las preguntas, por dos o más personas utilizando el diálogo verbal. El diccionario define esto como "reflexión de una cuestión en un debate abierto; el argumento con el propósito de llegar a la verdad o a la clarificación de las dificultades". Adicionalmente, la palabra *discutir* y sus sinónimos significan "discutir con el fin de llegar a conclusiones o para convencer; discutir también implica discernir o examinar, especialmente mediante la puesta en común de las consideraciones tanto a favor como en contra."[1]

Los grupos pequeños de estudios bíblicos no siempre incluirán debate o discusión, pero siempre *debería* haber investigación, examen y alcance de por lo menos las conclusiones tentativas.

Existen muchos beneficios en el aprendizaje por discusión en comparación con el de las lecturas o aun con el de la interacción que esté dominado por una sola persona. La Discusión:

- Hace que todos los miembros participen activamente en el proceso de aprendizaje.

- Permite revelaciones de índole personal, que posibilitan el conocimiento mutuo entre los participantes.

- Ayuda a cristalizar el pensamiento de cada miembro del grupo al crear un campo en el que los temas pueden ser investigados a niveles más profundos.

- Crea un ambiente más informal, que estimula un sentido de aprendizaje relajado.

- Proporciona la posibilidad de descubrir ideas falsas y de corregir información errónea.

- Fomenta el aprendizaje permanente y el cambio, porque la gente tiende a recordar mejor lo que se dice más que lo que se piensa.

- Construye un sentido de comunidad al cooperar los participantes en la búsqueda de la verdad y el entendimiento.

En la medida en que los grupos pequeños de estudio Bíblico vayan fomentando la sana discusión, ellos irán dándose cuenta de los beneficios arriba mencionados; pero la profundidad de la experiencia de grupo es mucho mejor cuando éste tiene un líder capaz. Él juega un papel importante para ayudar a que cada uno de estos siete beneficios se conviertan en una realidad; así por ejemplo, para lograr que todos los miembros participen más en el proceso de aprendizaje, el líder tendrá que animar a aquellos que tienden a ser tímidos y a manejar a los que tienden a ser dominantes. Los demás beneficios requieren una sensibilidad similar del líder. El resto de esta guía pretende ayudar al líder a maximizar estos beneficios para su grupo pequeño.

Pero antes de seguir adelante, otra cuestión deberá abordarse: mientras que el líder es un jugador importante en un grupo pequeño, él o ella no debe convertirse en la persona a la que todos los demás participantes hacen sus observaciones. Un autor ha sugerido que un líder de la discusión debe tratar de fomentar una red de "todos los canales", en lugar de convertirse en el "eje" o el centro de una rueda de debate, como representan los siguientes diagramas.

En una red de "rueda", todos los comentarios son dirigidos hacia un líder central y sola-

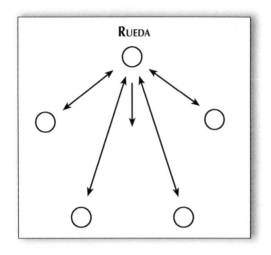

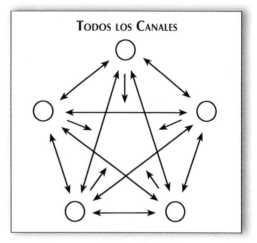

mente él o ella se dirige al grupo como un todo o a una sola persona.

En contraste, una red de "todos los canales" permite una comunicación rápida, sin la necesidad de autorización de un filtro central, cada uno es libre de compartir los pensamientos que le vienen a la mente cuando todavía son relevantes para el tema en cuestión. Se anima el libre intercambio de preguntas y respuestas.[2]

La responsabilidad del líder es recordar constantemente la necesidad de comunicación de "todos los canales."

ESCUCHAR: EL ARTE PERDIDO

Probablemente usted ha oído el dicho popular que dice que Dios nos dio dos oídos y una boca porque quería que escucháramos el doble de lo que habláramos. Sería difícil probar esta hipótesis, pero la Biblia sí *dice*:

> Todos deben estar listos para escuchar y ser lentos para hablar y para enojarse (Santiago 1:19).

> Es necio y vergonzoso responder antes de escuchar (Proverbios 18:13).

Escuchar puede ser la herramienta más poderosa de un exitoso líder de un grupo pequeño, pero también puede ser la cualidad más difícil de desarrollar. La mayoría de la gente tiende a hablar más que a escuchar, están más preocupados por sus propios intereses que por los intereses de los demás y escuchan impacientemente, esperando que la otra persona termine rápidamente. El escuchar de verdad es un arte perdido, pero es lo que un buen líder de grupo pequeño debe recuperar.

Escuchar no es sólo oír. Como leer es para ver, así escuchar es para oír. Es al leer y al escuchar, que entendemos el verdadero significado de las palabras que captan nuestros sentidos.

Considere las siguientes ideas y úselas para evaluar sus propios hábitos y habilidades para escuchar. Luego, decida qué áreas usted intencionalmente puede mejorar.

Características de un buen oyente:
- Es activo, no pasivo, y por lo tanto a veces, agotador.
- Es centrado en el otro, no centrado en sí mismo y por lo tanto a veces, sacrificado.
- Es fundamental, no periférico y por lo tanto indispensable.
- Es difícil, no es fácil y por lo tanto a menudo no se le pone la debida atención.
- Es raro, no es común, y por lo tanto muy deseable.

  Escuchar no es como:
  - Un juego de ajedrez en el cual usted esta planeando su próximo movimiento verbal, mientras que la otra persona esta hablando.
  - Un juicio en el que usted esta juzgando lo que se dice o cómo se dice.
  - Una carrera de 100 kilómetros en la cual usted piensa cuán rápido puede terminar la discusión.

  Escuchar es como:
  - Una esponja, que absorbe lo más posible de lo que se está diciendo y los sentimientos que hay detrás de esto.
  - Un par de binoculares, que fijan la atención y se enfocan claramente en lo que se esta diciendo.

Tipos de preguntas:
- Informativas — "¿Qué hiciste hoy?"
- De Opinión — "¿Por qué crees que esto pasó?"
- Emocionales — "¿Cómo te sientes acerca de esto?"

Tipos de respuestas:
- De aclaración — "Creo que lo que estás diciendo es . . .", nos lleva al significado de lo que se dijo.
- De observación — "Me di cuenta de que tu voz bajó en cuanto . . .", reconoce la importancia de las señales no verbales.
- Reflexivas — "Parece que estás muy triste . . ." reconoce el componente emocional.
- Investigativas — "Quiero saber más sobre . . .", tiene como objetivo obtener información adicional y a menudo llevar a una mejor comprensión.

Mientras que usted está escuchando, considere hacer una oración silenciosa pidiendo sabiduría:

- Dios, ¿qué estás haciendo en el corazón de esta persona en este momento?"

- "Padre, ayúdame a escuchar lo que ella realmente está diciendo".

- "Eterno Consejero, ¿Cómo quieres que responda a lo que esta persona está diciendo?"

Habrá momentos en que como líder de un grupo pequeño, usted tendrá que limitar la participación de un miembro del grupo, para permitir la participación de todos los integrantes. Su objetivo no es fomentar el diálogo sin fin con una persona, sino obtener lo mejor de cada participante y de todo el grupo, maximizando la discusión, la reflexión y así alcanzar un impacto mayor del que usted podría haber imaginado que sería posible.

PREGUNTAS: LAS BARRERAS MENTALES

En un ambiente de grupo pequeño, las buenas preguntas pueden marcar la diferencia entre éxito o fracaso. Cuando guíe los debates de *La Colección Maravíllosa*, las preguntas de Aprendiendo para la vida, que se encuentran al comienzo de cada estudio le proporcionarán un excelente punto de partida. Pero habrán ocasiones donde deseará investigar de manera diferente o más profunda. En esos momentos la elaboración de buenas preguntas será de gran importancia.

Algunas de estas preguntas se pueden preparar con anticipación. Otras se irán desarrollando durante el proceso. Recuerde, las buenas preguntas comparten algunas características comunes:

- La Brevedad: corta y ordenada

- La Aplicabilidad: pertinente a las necesidades de la gente

- La Simplicidad: fácil de entender

- Lo Interesante: capaz de capturar la atención

- Conformidad: basado en el material que se está estudiando

Como líder usted puede hacer preguntas para iniciar, guiar y aplicar. El siguiente material describe estos tres tipos de preguntas, dando ejemplos de cada una de estos.

Preguntas para iníciar:
- Inician un debate significativo sobre un tema.

- Pueden ser preparadas de antemano.

- Determinarán en gran medida la dirección que tomará la discusión.

- Son preguntas generales dirigidas a estimular la discusión.
- Serán basadas en el material previamente estudiado por el participante para permitir contribuciones de calidad.

  Ejemplos:
  - "¿Qué descubrió usted en este pasaje acerca de . . . ?"
  - "¿Qué le impresionó más acerca de cómo Dios . . . ?"
  - " ¿Qué pensamientos tiene acerca de Moisés después de este estudio?"
  - "¿Por qué cree que Dios incluyó este pasaje en la Biblia?"
  - "¿Cómo describiría la santidad de Dios?"

Preguntas para guiar:
- Mantienen la discusión en movimiento, extrayendo las ideas más importantes y reorientando las discusiones que estén confusas.
- Podrán estar preparadas con anterioridad, anticipando los temas que planteará para el grupo.
- Podrán ser elaboradas cuando el debate esté en marcha (¡Esto requiere práctica!)
- Conducirán a los participantes más allá de las observaciones iniciales y más profundamente dentro del significado del material.

  Ejemplos:
  - "Sally acaba de mencionar el concepto de obediencia. ¿Cómo encaja esto con lo que este pasaje parece decir?"
  - "¿Quién más desearía comentar acerca de esto?"
  - "Hemos dicho muchas cosas acerca de la gracia en nuestro debate. Si tuviera que resumirlas en una oración, ¿qué diría?"
  - "Lo que estamos discutiendo es interesante, pero nos hemos desviado del tema hacia donde queríamos ir. ¿Podría alguien regresarnos al punto donde nos salimos del tema?"

Preguntas para aplicar:
- Son suministradas para usted en los libros de práctica de La Colección Maravillosa.
- Pueden ser creadas con base a su propio conocimiento del grupo.
- Pueden ser difíciles de formular, pero sirven de puente entre el estudio bíblico y la vida cotidiana (de la cabeza al corazón).
- No siempre implican algo concreto para hacer o cambiar.
- Podrían incluir: meditación, reflexión, recordación o simplemente esperar en Dios.

- Pueden ser preguntas que animen al grupo a compartir sus respuestas en voz alta o pueden sugerir una respuesta reservada.

- Pueden ser específicas o generales.

- Deberán referirse a la verdad que el grupo acaba de estudiar.

  Ejemplos:

  - "Escriba una oración entregando a Dios su corazón, en respuesta a lo que Él le ha estado enseñando a usted esta semana."

  - "¿Sabe de alguien que represente bien lo que se acaba de estudiar? ¿Cómo podría reafirmar a esa persona en esta semana?"

  - "¿Qué sientes que Dios quiere que hagas en respuesta a este estudio?"

  - "¿Qué ve en la vida de ese personaje que le gustaría imitar? ¿Cómo se vería? ¿Cuál es el primer paso?"

El elaborar y hacer preguntas son habilidades que pueden ser desarrolladas y mejoradas. Después de cada reunión de grupo, podría ser útil una evaluación de sus preguntas. ¿Dirigieron al grupo adonde usted sintió que Dios quería?, ¿A medida que avanzó, qué preguntas funcionaron bien o no tan bien?, ¿Cómo respondió el grupo a las preguntas?, ¿Hubo alguna confusión? Finalmente, recuerde revisar semanalmente todo lo que ha aprendido acerca de cómo hacer preguntas.

El Papel Que Cada Persona Desempeña: El Máximo Desafío

Si ser el líder de un grupo pequeño de estudio bíblico consistiera solamente en facilitar la discusión, aprender a escuchar bien y elaborar preguntas significativas, esto en sí mismo ya sería un reto considerable. Pero añada a esto, el hecho de que cada persona en su grupo tendrá diferentes: necesidades, temperamentos, personalidades, enfoques para el estudio bíblico, razones para estar en el grupo y diferentes niveles de madurez y el rol de líder se vuelve entonces exponencialmente más desafiante.

Howard Hendricks profesor en el Seminario Teológico de Dallas describe en uno de sus libros,[3] algunos de los papeles que las personas juegan dentro del grupo. Usted puede encontrar esto útil en la evaluación de su propia dinámica de grupo.

Roles Inmaduros

El Espectador	Conforme de ser un espectador silencioso. Sólo asiente con la cabeza, sonríe y frunce el ceño. Aparte de esto, es un pasajero en lugar de ser un miembro de la tripulación.

El Monopolizador	El hermano hablador. Con su destreza verbal, divaga sin consideración durante el resto de la conversación. Tenazmente se aferra a su derecho a decir lo que piensa, incluso sin pensar.
El Menospreciador	El señor pesimista. Él subestima las contribuciones de los demás. Normalmente tiene tres buenas razones por las que alguna opinión es errónea.
El Chistoso	Se siente llamado a un ministerio de humor. El Sr. chispa gasta su tiempo como el juguetón del grupo. Indiferente al tema en cuestión, él siempre está listo con un comentario ingenioso.
El Apático	Nunca ha tenido un pensamiento original en su vida. No está dispuesto a comprometerse, permanece al margen hasta que los demás llegan a una conclusión y luego se une al grupo.
El Defensor	Crónicamente afectado por obsesiones. Siempre defendiendo alguna causa o movimiento, con frecuencia se siente llevado a compartir esta carga. Persona de ideas fijas.
El Mal Humorado	Vive con un estado de ánimo resentido. El grupo no siempre va a estar totalmente de acuerdo con sus puntos de vista, por lo que se pone mal humorado.

Roles Maduros

El Proponente	Inicia ideas y acciones. Mantiene las cosas en movimiento.
El Animador	Involucra a otros en la discusión. Alienta a otros a contribuir y enfatiza el valor de sus sugerencias y comentarios. Estimula a otros a una mayor actividad por medio de aprobación y reconocimiento.
El Aclarador	Tiene la capacidad de intervenir cuando la confusión, el caos y los conflictos se producen. Define el problema en forma concisa. Señala los problemas con claridad.
El Analizador	Examina las cuestiones detenidamente. Pesa las sugerencias cuidadosamente. Nunca acepta nada sin antes pensarlo bien.
El Explorador	Siempre en movimiento hacia áreas nuevas y diferentes. Investiga sin descanso. Nunca satisfecho con lo obvio o con los puntos de vista tradicionales.
El Reconciliador	Promueve la armonía entre los miembros, especialmente entre aquellos que tienen problemas para ponerse de acuerdo. Trata de encontrar las conclusiones aceptables para todos.
El Sintetizador	Capaz de unir las piezas entre diferentes ideas y puntos de vista.

Sin duda, podrá ver algunos de estos papeles tipificados en los miembros de su grupo pequeño. Lidiar con los miembros que desempeñan los papeles inmaduros, motivar y utilizar los que desempeñan los papeles maduros será un desafío permanente. Pida al Espíritu de Dios que le dé la sensibilidad, la creatividad y la capacidad como director. Orar por sabiduría para guiar los recursos disponibles se convertirá en una constante.

Su Liderazgo: Un Esfuerzo Espiritual

Antes de continuar, es importante recordar que más allá de la comprensión, el fomentar el debate, el aprender a escuchar bien, el desarrollar las habilidades para la formulación de las preguntas y el aprender a guiar diferentes tipos de personalidades, es Dios quien suministrará la gracia y la fuerza que le llevará a través de los desafíos del liderazgo.

Esta guía del líder se ha centrado hasta el momento en usted y sus mejores esfuerzos, pero la verdad es que no logrará absolutamente nada de valor eterno a menos que el Espíritu de Dios tome su esfuerzo devoto y lo llene con la autoridad de Su gracia y poder.

Por este motivo, le animamos a preparar y dirigir en completa humildad, dependencia y confianza, recordando estos preceptos fundamentales:

"Todo lo puedo en Cristo que me fortalece."(Filipenses 4:13).

"Te basta con mi gracia, pues mi poder se perfecciona en la debilidad" (2 Corintios 12:9).

"Yo soy la vid y ustedes son las ramas. El que permanece en Mí, como Yo en él, dará mucho fruto; separados de Mí no pueden ustedes hacer nada" (Juan 15:5).

Por último, fortalézcanse con el gran poder del Señor. Pónganse toda la armadura de Dios para que puedan hacer frente a las artimañas del diablo (Efesios 6:10-11).

Nuestra oración para usted es la oración de Pablo para los Efesios:

Pido que el Dios de nuestro Señor Jesucristo, el Padre glorioso, les dé el Espíritu de sabiduría y de revelación, para que lo conozcan mejor. Pido también que les sean iluminados los ojos del corazón para que sepan a qué esperanza Él los ha llamado, cuál es la riqueza de su gloriosa herencia entre los santos, y cuán incomparable es la grandeza de su poder a favor de los que creemos. Ese poder es la fuerza grandiosa y eficaz . . . [y] Le pido que, por medio del Espíritu y con el poder que procede de sus gloriosas riquezas, los fortalezca a ustedes en lo íntimo de su ser, para que por fe Cristo habite en sus corazones. Y pido que, arraigados y cimentados en amor, puedan comprender, junto con todos los santos, cuán ancho y largo, alto y profundo es el amor de Cristo; en fin, que conozcan ese amor que sobrepasa nuestro conocimiento, para que sean llenos de la plenitud de Dios. Al que puede hacer muchísimo más que todo lo que podamos imaginarnos o pedir, por el poder que obra eficazmente en nosotros. ¡A Él sea la gloria en la iglesia y en Cristo Jesús por todas las generaciones, por los siglos de los siglos! Amén (Efesios 1:17-19; 3:16-21).

APÉNDICE A

El Líder para una Discusión Eficaz: Una Meta Valiosa

Esta sección presenta un modelo para el líder de una discusión eficaz (LDE). Puede que usted no demuestre, ni necesite cada una de las características enumeradas. Usted podrá ejecutar muy bien algunas de éstas, otras las ejecutará razonablemente y otras le serán áreas débiles. Esto esta bien. Considere esta lista como un ideal al que puede aspirar. Nuestra esperanza es que ésta le ayudará a crecer como líder de grupo pequeño al revelar sus áreas fuertes y destacar sus áreas débiles, para las cuales puede necesitar ayuda. Dios nunca dijo que Él podría usar solamente a personas perfectas en el ministerio. De hecho, sus limitaciones en una o más de estas áreas podrán permitir a otros en el grupo trabajar lado a lado con usted y así se complementarán aportando cada uno sus puntos fuertes.

Usted puede escoger el usar esta lista con un grupo de líderes para discutir ministerios y responsabilidades comunes y para compartir entre sí, los retos y los éxitos experimentados. Escuchar los pensamientos de otros acerca de cada una de estas características podría alentarle a medida que sigue creciendo.

¿Qué características claves hacen eficaz a un líder de discusión?

1. LDEs tienen un buen conocimiento del material a tratar.
   - Habrán estudiado el material con anticipación.
   - Tienen un claro propósito de la reunión.
   - Tienen una introducción prevista.
   - Tienen una conclusión tentativa en mente.
   - Han examinado sus propias vidas en relación a la verdad del estudio.
   - Buscan ser obreros diligentes que interpretan rectamente la palabra de verdad. (ver 2ª. de Timoteo 2:15).
2. LDEs están capacitados en la organización de pensamiento grupal.

- Saben como usar las preguntas
- Ellos pueden detectar tangentes y suave pero firmemente devolver la discusión al tema.

3. LDEs son de mente abierta.

- Expresan juicios de manera condicional.
- Animan la consideración de todos los puntos de vista.
- Animan a todos los miembros a mantener espíritu abierto .
- Son capaces de manejar respuestas incorrectas invitando a más preguntas o discusiones.

4. LDEs son participantes activos.

- Hablan con frecuencia pero no excesivamente.
- No son sensibles o defensivos a la crítica o al desacuerdo.

5. LDEs son facilitadores.

- No dan direcciones dictatoriales.
- Animan a todos a participar.
- Fomentan la interacción entre todos los miembros.
- Son capaces de manejar miembros que tienden a dominar la discusión.
- Son capaces de estimular en forma no amenazante la participación de miembros tímidos y reservados.

6. LDEs hablan bien.

- Hablan claramente.
- Hablan de una manera concisa y pertinente.
- No tienen falta de tacto, no son charlatanes, no usan palabras ofensivas.

7. LDEs tienen respeto y sensibilidad por los demás.

- Tienen empatía.
- No atacan a los demás.
- No hacen que los demás se avergüencen.
- Están consientes de cómo están reaccionando los demás.
- Son pacientes.

8. LDEs tienen dominio propio.

- Pueden permanecer imparciales cuando sea necesario.

- Pueden expresar sus sentimientos de una manera directa, sin embargo, no en forma acusatoria.

9. LDEs pueden asumir diferentes roles.
   - Pueden ofrecer estímulo.
   - Pueden ofrecer guía y dirección cuando sea necesario.
   - Pueden insertar humor para romper la tensión, cuando proceda.
   - Pueden guiar al grupo en oración para buscar sabiduría.
   - Pueden dar atención personal a los miembros más necesitados.

10. LDEs dan crédito al grupo y a sus miembros.
    - Elogian al grupo por sus ideas y su progreso en el estudio.
    - Hacen hincapié del trabajo en equipo.
    - Hacen que todos los miembros del grupo se sientan importantes.
    - Valoran a los demás como sus iguales.
    - "No hacen nada por egoísmo o vanidad, más bien, con humildad consideran a los demás como superiores a ellos mismos" (Filipenses 2:3).

11. LDEs son auténticamente transparentes.
    - Comparten experiencias personales.
    - Comparten debilidades personales, frustraciones, presiones y fracasos sin buscar atención personal excesiva.
    - Comparten sentimientos personales.
    - Comparten peticiones personales.
    - Planean con anticipación para que todo esto pueda hacerse con gusto y autenticidad.

12. LDEs son entusiastas.
    - Se vuelcan a sí mismos en el tema y en la discusión del mismo.
    - Permiten que Dios revele el tema en sus corazones previo a la discusión.
    - Reconocen que el entusiasmo verdadero es un gran motivador para los demás.

13. LDEs son críticos y evaluadores adecuados de su propio liderazgo.
    - Constantemente buscan maneras de mejorar.
    - Buscan por lo general retroalimentación y asesoramiento.
    - Consistentemente evalúan los diversos aspectos de su papel de liderazgo.

- Recuerdan que evaluarse a sí mismo no es compararse con los demás, sino más bien, buscar la ayuda del Espíritu Santo para mejorar.

14. LDEs saben que el liderazgo es un esfuerzo espiritual.

- Admiten regularmente a Dios que "Separados de Él no podemos hacer nada" (Juan 15:5).

- Dicen confiadamente que: "Todo lo puedo en Cristo que me fortalece" (Filipenses 4:13).

- Nunca olvidan la promesa de Dios que "Te basta con Mi gracia" (2 Corintios 12:9).

APÉNDICE B

FORMATOS SUGERIDOS PARA EL DESARROLLO DE LA COLECCIÓN MARAVILLOSA

La Colección Maravillosa es intencionalmente flexible para acomodar una variedad de ambientes de enseñanza y calendarios. Es posible completar el estudio de los sesenta y seis libros de la Biblia en dos años mediante la enseñanza de un libro a la semana por treinta y tres semanas cada año (excluidos los veranos y los días festivos).

Otra opción sería ir a través del material en tres años, enseñando un libro a la semana durante veinte y dos semanas cada año. Así mismo, individualmente, el programa puede ser completado en aproximadamente quince meses, estudiando un libro a la semana durante sesenta y seis semanas consecutivas.

Así también hay flexibilidad en cada período de sesiones individuales. Las sesiones pueden durar al menos una hora, en la que el grupo ve el video (cuarenta y cinco minutos) y permite quince minutos de discusión, o en un formato de 1 hora y 30 minutos que podría incluir el vídeo, quince minutos para tomar un refrigerio, quince para la discusión y quince para revisar la tarea. Y si el tiempo lo permite, dos horas de sesión que podría incluir el video, refrigerio, treinta minutos para la discusión y treinta minutos para revisar la tarea.

Tal vez usted descubrirá otra sesión que se adapte a su grupo a la perfección. ¡Siéntase libre de usarla!

APÉNDICE C

COMPARTIR EL EVANGELIO

Los líderes deben ser sensibles al hecho de que algunos miembros del grupo pueden tener un interés en la Biblia, sin haber establecido una relación personal con su figura central, Jesucristo.

Compartir el evangelio es muy fácil para algunas personas y más difícil para otras. Pero si siente que hay miembros de su grupo que se beneficiarían de una explicación clara de la salvación, sin falta, ¡Ofrezca una! Incluso pueden haber "oportunidades naturales" durante su curso de estudio (al final de un libro, o una sección de trabajo, o durante su estudio de los evangelios, o en el libro de Romanos), cuando el evangelio parece "revelarse por sí mismo". Además, la gran mayoría de las preguntas de discusión (Antiguo y Nuevo Testamento) contienen una pregunta que apunta directamente a la persona de Jesucristo. Estos son los "momentos para enseñar", ¡Aprovéchelos!

Existen herramientas variadas y excelentes que pueden ayudarle a usted a encaminar a un no creyente a través de los puntos básicos de la salvación y en el idioma español algunas son: "Solamente por Gracia" de Charles H. Spurgeon (Kregel Publications 1982) y "El Camino Hacia Dios" de L.D. Moody (Editorial Vida 2006). Los líderes en su iglesia pueden ofrecerle una o más de ellas u otras que ellos consideren adecuadas.

Aunque en los videos de *La Colección Maravillosa* hay muchos testimonios excelentes, puede ser conveniente en algún momento compartir brevemente su testimonio personal con su grupo o con uno o más de sus miembros. Los siguientes cuatro pasos pueden ayudarle a pensar su "historia": su vida antes de Cristo, ¿Cómo llegó a conocer y comprender la necesidad de perdón y reconciliación con Dios, lo que Cristo hizo en lugar suyo en la cruz y cómo su vida es diferente hoy en día habiendo aceptado el sacrificio expiatorio de Jesús en nombre suyo?. Esta será su ¡historia! Ruegue por un corazón sensible, el momento adecuado y las palabras correctas para compartirla cuando el Espíritu Santo le permita hacerlo.

Es nuestra oración que todos los que completen *La Colección Maravillosa* conozcan profundamente de nuestro Salvador, el Señor Jesucristo.